W9-BMO-967

風光る

●かぜひかる

13

渡辺《わたなべ》多恵子《たえこ》

＊flowersフラワーコミックス＊

＊flowersフラワーコミックス＊

風《かぜ》光《ひか》る

13

もくじ

――今《いま》までのお話《はなし》――

文久《ぶんきゅう》3年《ねん》(1863年《ねん》)京《きょう》の都《みやこ》に結成《けっせい》された新選組《しんせんぐみ》。幕府《ばくふ》を助《たす》け日本《にほん》を守《まも》る事《こと》を夢見《ゆめみ》て集《あつ》まった、熱《あつ》き浪士集団《ろうししゅうだん》である。

元幕臣《もとばくしん》の娘《むすめ》 富永《とみなが》セイ(神谷清三郎《かみやせいざぶろう》)は、父兄《ふけい》の仇討《あだう》ちの為《ため》に男《おとこ》と偽《いつわ》って入隊《にゅうたい》。本懐《ほんかい》の叶《かな》った後《あと》も秘密《ひみつ》を知《し》る沖田《おきた》の下《もと》、真《まこと》の武士《ぶし》を目指《めざ》して修行《しゅぎょう》に励《はげ》んでいる。

池田屋事変《いけだやじへん》・禁門《きんもん》の変《へん》と武功《ぶこう》を上《あ》げた新選組《しんせんぐみ》は兵力拡大《へいりょくかくだい》の為《ため》、伊東甲子太郎《いとうかしたろう》の一派《いっぱ》を隊《たい》に加《くわ》えた。しかし彼《かれ》らは幕府《ばくふ》に反感《はんかん》を抱《いだ》き、新選組《しんせんぐみ》の指針《ししん》をも変《か》えようと画策《かくさく》を始《はじ》めた。そんな伊東《いとう》に共感《きょうかん》した山南《やまなみ》は、天狗党事件《てんぐとうじけん》を経《へ》てついに幕府《ばくふ》に絶望《ぜつぼう》する。だが、血盟《けつめい》の同志《どうし》・近藤《こんどう》らを裏切《うらぎ》れず、自《みずか》ら切腹《せっぷく》の処断《しょだん》を受《う》ける。

山南《やまなみ》の死《し》の波紋《はもん》が広《ひろ》がる中《なか》、西本願寺《にしほんがんじ》へ屯所《とんしょ》を移《うつ》した新選組《しんせんぐみ》だが…!?

登場人物紹介《とうじょうじんぶつしょうかい》

沖田総司《おきたそうじ》●新選組一番隊組長《しんせんぐみいちばんたいくみちょう》。天《てん》然理心流免許皆伝者《ねんりしんりゅうめんきょかいでんしゃ》。近藤《こんどう》、土方《ひじかた》らとともに隊《たい》を支《ささ》える。清三郎《せいざぶろう》を厳《きび》しく温《あたた》かく見守《みまも》っている。

神谷清三郎《かみやせいざぶろう》●本名《ほんみょう》、富永《とみなが》セイ。密《ひそ》かに沖田《おきた》を想《おも》い、沖田《おきた》を守《まも》りたい一心《いっしん》から仇討《あだう》ちを遂《と》げた後《あと》も隊《たい》に残《のこ》る。今《いま》では立派《りっぱ》な一隊士《いちたいし》に…？

近藤勇《こんどういさみ》●新選組局長《しんせんぐみきょくちょう》。天然理《てんねんり》心流《しんりゅう》4代目宗家《だいめそうけ》。熱《あつ》い志《こころざし》を持《も》ち、温厚《おんこう》な人柄《ひとがら》で人望《じんぼう》がある。

土方歳三《ひじかたとしぞう》●新選組副長《しんせんぐみふくちょう》。隊《たい》の指揮官《しきかん》として、自他《じた》ともに厳《きび》しい態度《たいど》で臨《のぞ》む鬼副長《おにふくちょう》。

伊東甲子太郎《いとうかしたろう》●新選組参謀《しんせんぐみさんぼう》。理論家《りろんか》で、その志《こころざし》は次第《しだい》に隊《たい》の理念《りねん》から離《はな》れていくことに。

斎藤一《さいとうはじめ》●新選組三番隊組長《しんせんぐみさんばんたいくみちょう》。清三郎《せいざぶろう》の兄《あに》の友人《ゆうじん》。清三郎《せいざぶろう》から兄《あに》のように慕《した》われている。

元治《げんじ》2年《ねん》3月《がつ》10日《とおか》（1865年《ねん》4月《がつ》5日《いつか》）
新選組《しんせんぐみ》は上洛《じょうらく》以来《いらい》
馴《な》れ親《した》しんだ洛西《らくせい》の地《ち》
壬生村《みぶむら》に別《わか》れを告《つ》げ
洛中《らくちゅう》の市街地《しがいち》
六条《ろくじょう》 西本願寺《にしほんがんじ》に
屯所《とんしょ》を移転《いてん》した
距離《きょり》にすれば
わずか2km《キロメートル》にも
満《み》たない移動《いどう》
ではあるが
たとえれば
それは
東京都下《とうきょうとか》の
農村地帯《のうそんちたい》から
農地＆野っ原。
壬生屯所
ちなみに島原
西本願寺
（本名 本派 本願寺）
江戸いろはかるた
れ
良薬《れうやく》は口《くち》に苦《にが》し
良薬

23区内《くない》の商業地《しょうぎょうち》へ移《うつ》るが如《ごと》き違《ちが》いであった
家《いえ》が多《おお》い〜〜〜！人《ひと》が多《おお》い〜〜〜！感動《かんどう》〜〜〜！
初《はじ》めて見《み》る町《まち》でもないでしょう神谷《かみや》さん
しょっちゅう巡察《じゅんさつ》で回《まわ》ってるんですから
そうは言《い》っても沖田先生《おきたせんせい》!! 新選組《わたしたち》はこれからここに住《す》むんですよっ!?
〝壬生《みぶ》の狼《おおかみ》〟の〝人斬《ひとき》り鬼《おに》〟の〝どぐされ助平浪人《すけべいろうにん》〟のと言《い》われ続《つづ》けていた新選組《わたしたち》がこんな町中《まちなか》に住《す》む事《こと》をご公儀《こうぎ》に許《ゆる》される日《ひ》が来《く》るなんて!!
どぐされスケベ浪人って…
それ 神谷さん個人の評価じゃ…？

今日《きょう》まで 頑張《がんば》ってこられて 本当《ほんとう》によろしゅう ございましたね 近藤局長《こんどうきょくちょう》っっ
うむ そう考《かんが》えれば 確《たし》かに目頭《めがしら》が…
自分感無量ッス!!
ホロリ…。
うやむやに もらい泣《な》きしてんじゃ ねーよ 近藤《こんどう》さん!!
長州贔屓《ちょうしゅうびいき》の坊主《ぼうず》が うようよいる西《に》本願寺《し》は ある意味《いみ》〝敵陣《てきじん》〟だ
栄転《えいてん》だ出世《しゅっせ》だと 浮《う》かれてやがると 足元《あしもと》をすくわれるから 覚悟《かくご》しておけ 神谷《かみや》!
…にしても
やっぱりちょっと ワクワクしませんか 土方《ひじかた》さん

壬生《みぶ》の屯所《とんしょ》の何倍《なんばい》あるんですかね西本願寺《にしほんがんじ》って？
長《な》げ――っっ!!
全部《ぜんぶ》を借《か》りる訳《わけ》じゃねえ
太鼓楼《たいころう》と北集会所《きたしゅうえしょ》それに付属《ふぞく》した2棟《ふたむね》だけだ！
いちいちやかましい！
それにしたって規模《きぼ》が違《ちが》うぜ源《げん》さん…!!

でっ
これが北集会所《きたしゅうえしょ》…
壬生の村会所となんて違い…
500畳《じょう》も敷《し》ける広《ひろ》さだそうですよ

け〜!!
移築《いちく》した文武館《道場》がまるで犬小屋《いぬごや》だな
よっしゃあ俺《おれ》が一番乗《いちばんの》りだ!

あっ バカ…
がらっ
どばん
!?
なんでいきなりカベなんだよ新八《しんぱっ》つぁん～
ゲラゲラゲラ
馬鹿《バカ》左之助《さのすけ》 改築《かいちく》したって図面《ずめん》見せられたろうが
大広間《おおひろま》を無理矢理《むりやり》間仕切《まじき》りしてあんだよ
オレ様をだしぬこうとするからだ
以後《いご》各々《おのおの》組長《くみちょう》の指示《しじ》に従《したが》い速《すみ》やかに荷物《にもつ》の片付《かたづ》けにかかれ！
当番《とうばん》の組《くみ》は深夜《しんや》の巡察《じゅんさつ》から通常《つうじょう》の隊務《たいむ》に戻《もど》るから心《こころ》しておけよ！
ぐえ——鬼副長《おにふくちょう》～～
よかった～～ 一番隊《オレたち》は朝《あさ》の内《うち》に巡察《じゅんさつ》終《お》えてて

どわ━━ 広《ひろ》い━━っっ!!
この部屋《へや》丸《まる》ごと一番隊《いちばんたい》で使《つか》っちゃっていいんですか沖田先生《おきたせんせい》!?
これからまた隊士《たいし》を増《ふ》やしますからね
広々《ひろびろ》と見《み》えるのは今《いま》の内《うち》だけかもしれませんよ
この天井《てんじょう》の高《たか》さがウレシ〜〜〜ッ♡♡
おおー刀振《ふ》り上《あ》げても全然大丈夫《ぜんぜんだいじょうぶ》だ!!
ぶん
ガッ
ガッ
ふん
柱《はしら》もさすがの太《ふと》さだなー刀が当《あ》たってもビクともしねえし
って試《ため》し斬《ぎ》りをするな!!
そうか! 今日《きょう》からは神谷《かみや》もこの部屋《へや》で一緒《いっしょ》なんだ

はいっ
またよろしくお願《ねが》いします！
実《じつ》はそうなんだよね…
前川《まえ》の屯所《とんしょ》で沖田先生《おきたせんせい》の部屋《へや》においてもらえてたのは隊士《たいし》が増《ふ》えて大部屋《おおべや》がいっぱいだったからで
各隊《かくたい》にこんな広《ひろ》い部屋《へや》が与《あた》えられるこの屯所《とんしょ》では
当然《とうぜん》そんな特別措置《とくべつそち》は無用《むよう》になる
今思《いまおも》えば天国《てんごく》だったなあ
ケンカもしたけどずっと傍《そば》にいられたし
あ
ユメで何か食べてる♥
早起《はやお》きして子供《こども》みたいな先生《せんせい》の寝顔《ねがお》こっそり見るの大好《だいす》きだったのに…

なんてショボくれてちゃダメダメ!!
新選組《しんせんぐみ》の新《あら》たな門出《かどで》にそんな邪心《じゃしん》で水《みず》をさしてどうする!!
どすどす
どすどす
神谷《かみや》…その自問自答《じもんじとう》して暴《あば》れるクセちっとも変《か》わってないんだな…
そんなロコツに寂《さび》しそうな顔《かお》するなよ
え
部屋《へや》くらい違《ちが》ったって隊務《たいむ》じゃいつも一緒《いっしょ》なんだし
沖田先生《おきたせんせい》は浮気《うわき》なんてする人《ひと》じゃないしさ
なっなんの話《はなし》をしてるんですッ!? 私《わたし》は別《べつ》におっおっ沖田《おきた》先《せん》…っとなんか
ああもう俺《おれ》たちにまで隠《かく》さなくていいって!
去年《きょねん》の十五夜《じゅうごや》の決闘以来《けっとういらい》 俺《おれ》たちしっかり腹《はら》くくってんだ
神谷《かみや》と沖田先生《おきたせんせい》の忍《しの》ぶ恋《こい》には俺《おれ》たちも協力《きょうりょく》しようってな
相田《そうだ》さんっ!?
やっ山口《やまぐち》さんあの…っ
㊂FC9巻。

忍《しの》ぶ衆道《しゅどう》こそ至極《しごく》!!
だよな〜〜〜く〜〜〜 美《うつく》しいぜ〜〜〜っっ
・・・
完全に衆道《ホモ》カップルと思われている沖×セイ。
しかも「カップル」さえ誤解(笑)
一応《いちおう》嬉《うれ》しい誤解《ごかい》なはずなのに
よろ…
無性《むしょう》に腹《はら》が立《た》つのはどうしてなんだろうっっ!?
近藤先生《こんどうせんせい》っ
そんな荷物《にもつ》私《わたし》が運《はこ》びますよ!
そんなに年寄《としよ》り扱《あつか》いするな 総司《そうじ》
お前《まえ》はお前《まえ》の荷物整理《にもつせいり》があるだろう
私《わたし》の荷物《にもつ》なんて行李《こうり》1コと刀《かたな》だけですもん 元々《もともと》済《す》んでるも同然《どうぜん》です
そうは言《い》っても一番隊《いちばんたい》のほうはいいのか?

うちには神谷《かみや》さんがいますから
放《ほう》っといてもきっちり仕切《しき》ってくれてますよ
はっはっは 確《たし》かにこういう時《とき》の神谷《かみや》の采配《さいはい》は見事《みごと》だからなあ!
ははは…
つたく人《ひと》を遣手婆《やりてばば》みたいにっ
ぷん
ふうん 沖田先生《おきたせんせい》…
…でも…
「うちには神谷《かみや》さんがいますから」
そんな風《ふう》に少《すこ》しは頼《たよ》りにしてくれてるんだ私《わたし》の事《こと》…

さあっ
日暮《ひぐ》れまでに
片付《かたづ》けますよ
この荷物《にもつ》っ!!
ああもう神谷《かみや》が
立《た》ち直《なお》っている…
神谷清三郎《かみやせいざぶろう》こと
富永《とみなが》セイ17歳《さい》
実《じつ》は女子《おなご》でありながら
そのタフさは隊屈指《たいくっし》と言《い》える
少《すこ》しは信用《しんよう》
されてたって
当然《とうぜん》と言《い》えば
当然《とうぜん》か♡
考《かんが》えてみれば
年《とし》こそ完全《かんぜん》に
下《した》っ端《ぱ》だけど
新選組《しんせんぐみ》に在籍《ざいせき》
してる長《なが》さでは
もう結構古参《けっこうこさん》に
入《はい》るんだよね私《わたし》
うおーっ
みんな働けーっ
よしッ!!

せめて他《ほか》の人《ひと》たちが不得手《ふえて》な仕事《しごと》では私《わたし》が一番《いちばん》！と胸《むね》を張《は》れる隊士《たいし》になるぞッ!!
スゲ～ 一番隊 もうあんなに
――あれ…？
西本願寺《お西さん》の門徒《もんと》さんたちか
きっと新選組《わたしたち》の事《こと》が不安《ふあん》でのぞきに来《き》てるんだな…
いやあほんま怖《こわ》いなあ
これからずっと壬生浪《みぶろ》はここにおんのやろか
信《しん》じられへんわ あの勤皇家《きんのうか》のご門主様《もんしゅさま》が
幕府《ばくふ》の言《い》いなりにならはってこんな輩《やから》を住《す》まわすなんて
ひゃあ 見《み》とおみ あのがさい野良犬《のらいぬ》みたいな男《おとこ》ども
あないに笑《わら》いながら何人《なんにん》人斬《ひとき》ったんやろか

こんにちは
ざっ
きゃあああっ
すんまへん
すんまへん
ああ
逃《に》げないで
ください！
これから
お世話《せわ》になる
ご挨拶《あいさつ》に来《き》た
だけですから
…へ？
女子《おなご》
…!?
…の訳《わけ》
あらへん
やん！
挨拶《あいさつ》て…
あんたはんも
壬《み》…新選組《しんせんぐみ》の隊士《たいし》
さんなんどすか？
はい
一番隊《いちばんたい》の
神谷清三郎《かみやせいざぶろう》と
申《もう》します
外交担当：神谷

すみません 門徒衆《もんとしゅう》に ご迷惑《めいわく》な事《こと》は 重々承知《じゅうじゅうしょうち》ですが 京《きょう》の治安《ちあん》を守《まも》る 為《ため》なんです
ペコッ
先年《せんねん》の様《よう》な 戦禍《わざわい》を二度《にど》と 繰《く》り返《かえ》さない 為《ため》にも どうか ご理解《りかい》 ください
は…
へえ…
いやあ なんて綺麗《きれい》な お侍《さむらい》さんやろ♡
新選組《しんせんぐみ》って あない礼儀《れいぎ》 正《ただ》しい人《ひと》も おんねんなあ♡
どない やった 壬生浪《みぶろ》どもの 様子《ようす》は？
婆《ばば》さま！
それが 思《おも》った程《ほど》 悪《わる》い人《ひと》たちや ないかも…て なあ？
ひとり わざわざ 挨拶《あいさつ》に来《き》てくれ はったんどすけど このお人《ひと》がもう 名前《なまえ》からして 清々《すがすが》しい 神谷清三郎《かみやせいざぶろう》 言《ゆ》うて…
〃神谷清三郎《かみやせいざぶろう》〃!?

え…
神谷清三郎《かみやせいざぶろう》に
どこで会《あ》った!?
壬生《みぶ》の八木《やぎ》さんから引《ひ》っ越《こ》し祝《いわ》いが届《とど》いたぞーっ!!
すげえ〜〜〜こもかぶりがあんなに!!
ど〜ん!
八木《やぎ》さん太《ふと》っ腹《ばら》〜!!
土方《ひじかた》さんが持《も》ってった寸志《すんし》の5両《りょう》全部《ぜんぶ》お酒《これ》に替《か》えたんじゃ…
その話《はなし》はするな!!
顔から火が出る
せっかくのお心付《こころづ》けだ
今夜《こんや》隊務《たいむ》のない者《もの》には早速《さっそく》にふるまってやろうじゃないか

隊務《たいむ》のある者《もの》は仕事《しごと》が済《す》んだ後《あと》に飲《の》んだくれる事《こと》を許可《きょか》しよう！
うおおっ
ありがてえっ!!
新選組《しんせんぐみ》の前途《ぜんと》を祝《しゅく》して——っ
どんちゃんどんちゃっ
乾杯《かんぱい》——っ!!
ちゃかちゃか♪ ちゃんちゃん♪
……
…ご門主様《もんしゅさま》 申《もう》し訳《わけ》ありません

あの夜《よ》 私共《わたくしども》が 神谷《かみや》とかいう少年《しょうねん》を 招《まね》き入《い》れさえしなければ
ご門主様《もんしゅさま》も堂宇《どうう》の 借用証文《しゃくようしょうもん》に署名《しょめい》 する様《よう》な事《こと》には なりませなんだのに…
あの時《とき》の話《はなし》は するな!
ちゃかちき ちゃかちき ちゃかちき
お前《まえ》たちの 咎《とが》ではない
私《わたし》が愚《おろ》か だったのだ…!
※愚禿《ぐとく》の身《み》を忘《わす》れ 弥陀《みだ》の示現《じげん》を 授《さず》かれるかに 思《おも》い上《あ》がった
南無阿弥陀仏
ちゃかちき ちゃかちき ちゃかちき ちゃかちき ちゃんちき
新選組《あのものども》に与《あた》え られる苦痛《くつう》は
そんな己《おのれ》を 戒《いまし》めよと御仏《みほとけ》が 私《わたし》に授《さず》けられた 有難《ありがた》い試練《しれん》なのだ
本願寺20代 広如上人。
お前《まえ》たちには 礼《れい》を言《い》わねば なるまい
ご門主様《もんしゅさま》 …っ!!
…とでも言うしかないよねもう。
さー皆《みな》さん どんどん 行《い》きましょ ――っ♡

※僧《そう》が自分《じぶん》をへりくだって言《い》う称《しょう》。「愚昧《ぐまい》なる禿頭者《とくとうしゃ》」の意《い》で浄土真宗《じょうどしんしゅう》(西本願寺《にしほんがんじ》)の祖《そ》、親鸞《しんらん》の自称《じしょう》。

おー 神谷《かみや》♡
俺《おれ》にもくれ 神谷《かみや》♡
神谷《かみや》♡
ハイハーイ♡
珍《めずら》しく ずいぶんと ノリ気《き》ですね
だってお祝《いわ》い ですもん! 部屋《へや》も片付《かたづ》いたし 新選組《しんせんぐみ》の前途《ぜんと》も明《あか》るいい!!
どうですか 沖田先生《おきたせんせい》 もう一杯《いっぱい》!
いえ 私《わたし》はもう
元々酒《もともとさけ》は あまり得意《とくい》じゃ ありませんから
?
宴会《えんかい》は 大好《だいす》きな くせに
ひっく
沖田先生《おきたせんせい》って ヘーンなの〜〜!

…大分《だいぶん》飲《の》んでる様《よう》だな 神谷《かみや》
あ——っ 斎藤先生《さいとうせんせ》え! お久《ひさ》しぶりですう!!
どこがだ 今朝《けさ》まで同室《どうしつ》だったろう
もう やめておけ 神谷《かみや》 あんたは酒《さけ》グセが悪《わる》い
失礼《しつれい》な! 私《わたし》は酔《よ》ってませんよ——!!
清三郎《せいざぶろう》!
ビクッ
!?
…あ…
びっくりした… 斎藤先生《さいとうせんせい》の声《こえ》って 本当《ほんとう》に死《し》んだ兄上《あにうえ》と そっくり——

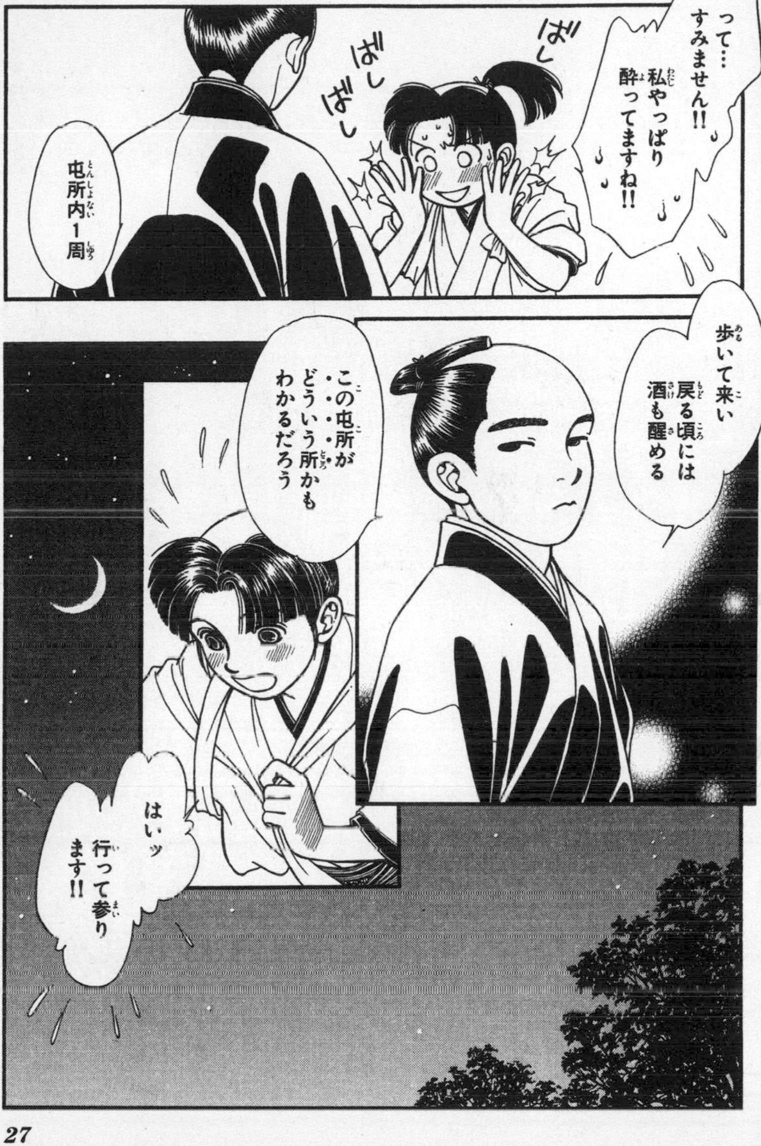
って…
すみません!!
私《わたし》やっぱり
酔《よ》ってますね!!
ばし
ばし
ばし
屯所内《とんしょない》1周《しゅう》
歩《ある》いて来《こ》い
戻《もど》る頃《ころ》には
酒《さけ》も醒《さ》める
この屯所が
・・・
どういう所《とこ》かも
わかるだろう
はいッ
行《い》って参《まい》ります!!

あはは〜
立派《りっぱ》な竹矢来《たけやらい》!
鬼副長《おにふくちょう》
ずいぶん頑丈《がんじょう》そう
なのを造《つく》らせたなあ
これが
阿弥陀堂《あみだどう》
向《む》こうが
御影堂《ごえいどう》かあ
暗《くら》くてよく
見《み》えないけど
大《お》っきいなー
で
その屯所側《こっちがわ》に
あるのが
幹部棟《かんぶとう》と
集会所《しゅうえしょ》のほうは
にぎやかだけど
こっちのほうは
静《しず》かだな…
沖田先生《おきたせんせい》の
部屋《へや》はどこ
なんだろう

なーんてっ
別《べつ》にそんな事《こと》
探《さぐ》りに来《き》た訳《わけ》じゃ
ないんだしねっ!!
カサ
カサ
さっさと
1周《しゅう》しようぜ
清三郎《せいざぶろう》!!
…と言いつつ
ナゼ
かがむ
?
でも…
ねー…
「部屋《へや》
分《わ》かれちゃって
寂《さび》しいですね」
の一言《ひとこと》くらい
言《い》ってくれても
罰《バチ》あたんないんじゃ
ないの…とかさ
くっすん
…
幹部棟《かんぶとう》の
縁側《えんがわ》に
誰《だれ》か立《た》ってる
——?
ドクン
暗《くら》いし
遠《とお》いし
絶対《ぜったい》こっちが
見《み》えてるはず
ないけど
なんだかこっちを
見《み》てる気《き》がする
あの長身《ちょうしん》の
人影《ひとかげ》は…
ドクン
ドクン
ドクン

!?
はっ
誰《だれ》?
……!!
ガ ン
……
すごい力《ちから》——
——見《み》つけたぞ

神谷清三郎《かみやせいざぶろう》 お前《まえ》を屠《ほふ》る
お前《まえ》は魔物《まもの》だ 我《われ》らをたぶらかし
あ…
ご門主様《もんしゆさま》までを惑《まど》わして あの悪鬼《あっき》どもを ここへ引《ひ》き入《い》れた
殺《ころ》される——…!
その悪業《あくごう》 死《し》をもって あがなえ!
あの時《とき》の 守衛《しゆえい》…僧《そう》 ——!?

境内《けいだい》で殺生《せっしょう》をしようとは ずいぶん剛胆《ごうたん》なお坊様《ぼうさま》ですね
!!
それともこの竹矢来《たけやらい》の内側《うちがわ》では
新選組《わたしたち》の掟《おきて》に準《じゅん》じて頂《いただ》けるという事《こと》ですか

す…っ すっす
すまん わしは…!!
ゲホッ ゲホ ケホ
立《た》って
今《いま》すぐ あなたの浄土《じょうど》へ お帰《かえ》りなさい
…う わ…ああっ
ここは 鬼《おに》の住処《すみか》です
沖田先生《おきたせんせい》
助《たす》けに来《き》てくれた…!

あ…りがと…ございました
酔《よ》っていなければ
もう少《すこ》しはマシな抵抗《ていこう》ができたはずですよ神谷《かみや》さん
はっ
浮《う》かれて足元《あしもと》をすくわれるなと副長《ふくちょう》に言《い》われたはずでしょう
祝《いわ》い酒《ざけ》は結構《けっこう》ですが
ここを壬生《みぶ》の屯所《とんしょ》と同《おな》じに思《おも》って飲《の》んだのなら自分《じぶん》の甘《あま》さを反省《はんせい》すべきですね
――!
「ここは〝敵陣《てきじん》〟だ」

「歩《ある》いて来《こ》い
神谷《かみや》
この屯所《とんしょ》が
どういう所《とこ》か――」
ああそうだ
鬼副長《おにふくちょう》も
斎藤先生《さいとうせんせい》も
同《おな》じ事《こと》を言《い》って
くださってたのに
バカじゃない？
何《なに》…やってんの
私《わたし》――！
沖田先生《おきたせんせい》に
助《たす》けてもらって
一体何《いったいなに》を浮《う》かれて
たんだろう
私《わたし》は先生《せんせい》を
守《まも》りたくて
新選組《ここ》にいる
はずなのに
沖田先生《おきたせんせい》！
待《ま》って
待《ま》って
ください！

申《もう》し訳《わけ》ありませんでしたっ!!
神谷清三郎《かみやせいざぶろう》初心《しょしん》に戻《もど》って出直《でなお》します!
大《おお》マヌケの未熟者《みじゅくもの》ですがこれからもご指導《しどう》よろしくお願《ねが》いします!!
まあでも
その未熟《みじゅく》を補《おぎな》って余《あま》りある強運《きょううん》の持《も》ち主《ぬし》ではありますよね神谷《かみや》さんて
はい?
だってあなたが木陰《こかげ》に引《ひ》き込《こ》まれるのを
たまたま私《わたし》が見《み》てるなんて偶然《ぐうぜん》そう滅多《めった》にある事《こと》じゃないですから
じゃ…!
やっぱりあの縁側《えんがわ》の人影《ひとかげ》
沖田先生《おきたせんせい》だったんですか!?

嘘《うそ》みたいな〝偶然《ぐうぜん》〟…
あんな遠《とお》くから暗《くら》がりにいた私《わたし》が見《み》えてたんですか…？
ドキン
え…っ
これって…
こういうのって…
ええ それは…
ドキ
もう〝運命《うんめい》〟って言《い》うものなのでは…
もちろん
ドキン

子猿《こざる》かタヌキだと思《おも》って見《み》てたんですけどね
かなり長いこと
誰《だれ》が子猿《こざる》ですか――っっ!!
わあ すみません だって暗《くら》かったんですもん~~~~
あっ いつのまにホウキ
ひどすぎる――っ
親ザルよりマシじゃないですか――っ
かくして
西本願寺《にしほんがんじ》の新屯所《しんとんしょ》はにぎやかにスタートを切《き》った
いつまで待《ま》ったって無駄《むだ》ですよ甲子太郎《かしたろう》さん

迎《むか》えになんて来《く》る訳《わけ》ないでしょう あの土方《ひじかた》副長《ふくちょう》が！
そんな言《い》い方《かた》はないだろう内海《うつみ》…
しくしく…
おや伊東参謀今頃おいでですか
婆《ばば》さま！また怪《あや》しげなのが入《はい》って来《き》ました！
むむっ
…色々《いろいろ》と問題《もんだい》を内包《ないほう》しつつではあったが
セイにとっては大OK《だいオッケー》なスタートと言《い》えるだろう
えっ沖田先生《おきたせんせい》もここに寝《ね》るんですか!?
あれ？言《い》ってませんでしたっけ 今度《こんど》から組長《くみちょう》も同室《どうしつ》なんですよ

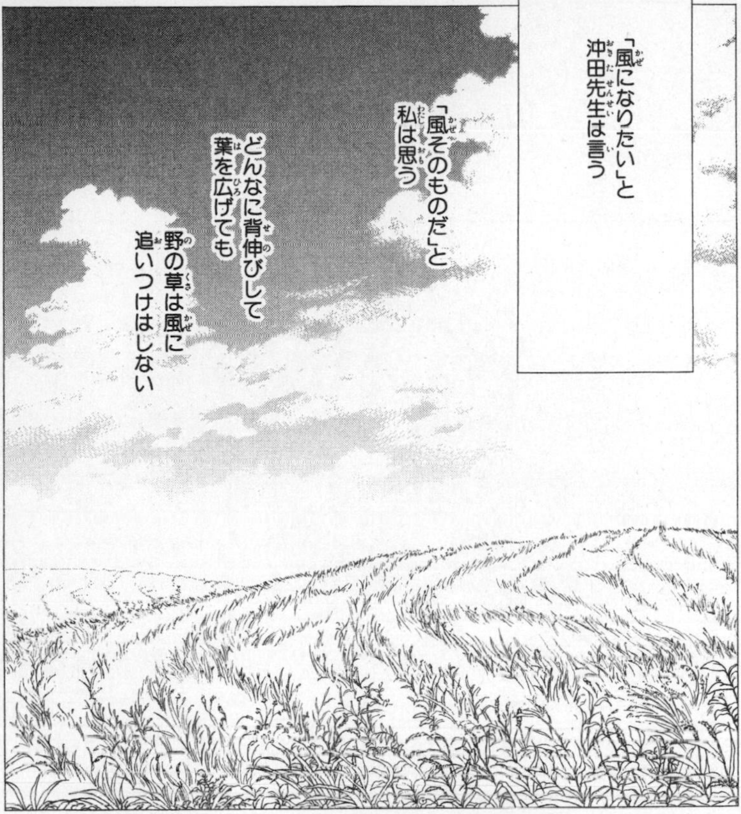
「風《かぜ》になりたい」と
沖田先生《おきたせんせい》は言《い》う
「風《かぜ》そのものだ」と
私《わたし》は思《おも》う
どんなに背伸《せの》びして
葉《は》を広《ひろ》げても
野《の》の草《くさ》は風《かぜ》に
追《お》いつけはしない

江戸いろはかるた
そ
総領《そうりょう》の甚六《じんろく》
のほ

野《の》の草《くさ》はいつも揺《ゆ》れるばかり…
…んせえ…
きゅ…
ん…甘《あま》えん坊《ぼ》さんですねえ…
もっとこっちにいらっしゃい…
クマちゃん…♡
…む？

ぎゃああああああっ！
なんだぁ〜 神谷《かみや》〜〜〜？
どうしたんです 神谷《かみや》さん…？
だっだっだって 沖田《おきた》先生《せんせい》が とっ 隣《となり》にっっ なんてっ
しかも 超至近距離でっ

何《なに》を寝《ね》ボケてるんですよ〜
昨夜《ゆうべ》 隣《となり》に寝《ね》たじゃないですか〜
えっ
あ？
…れ？
そうだった
ここは新屯所《しんとんしょ》
西本願寺《にしほんがんじ》!!
思《おも》い出《だ》した〜
隊士部屋《たいしべや》が広《ひろ》くなったんで今度《こんど》から組長《くみちょう》も同居《どうきょ》になるって…
そうして沖田先生《おきたせんせい》が

当《あ》たり前《まえ》みたいに
私《わたし》の布団《ふとん》を見《み》つけて
えっ
ドキン
♪
当《あ》たり前《まえ》みたいに
自分《じぶん》の布団《ふとん》をその
隣《となり》に敷《し》いたから
なんだかすごく
嬉《うれ》しくて…
おやすみなさい
神谷さん
すごくすごく
ドキドキして…
…たのに
昨夜《ゆうべ》はあまりの
疲労《ひろう》コンパイからか
横《よこ》になった以降《いこう》の
記憶《きおく》が一切《いっさい》ない!!
これでいいのか
17の乙女《おとめ》ガッ!?
ってゆーか
お"クマ"さんて
誰《だれ》なんです
沖田先生《おきたせんせい》!?
え?
寝言《ねごと》で私《わたし》の事《こと》
そう呼《よ》んだん
ですけど!?

あははは すみません 去年《きょねん》生《う》まれた 例《れい》の姪《めい》っ子《こ》ですよー♡
見ますか 似顔絵♥
まだ会《あ》った 事《こと》がないので 余計《よけい》に恋《こい》しくて♡
野暮《やぼ》天王《てんキング》の この男《おとこ》には
…ああ そうですか
ええもう どーせそんな こったろうと
乳《ち》飲《の》み子《ご》も 17の乙女《おとめ》も 大《たい》した差《さ》では ないらしい
ぱん
が
にへ。
Replay

さ――今日《きょう》もハリキッテ行《い》きましょ――っっ!!
飢《う》えた胃袋《いぶくろ》には粗食《そしょく》もご馳走《ちそう》「いいかも西本願寺《にしほんがんじ》♡」
――な神《かみ》谷《や》清《せい》三《ざぶ》郎《ろう》こと富永《とみなが》セイ17歳《さい》であった
一方《いっぽう》こちら徒《ただ》ならぬ様子《ようす》の幹部棟《かんぶとう》
何故《なぜ》お前《まえ》がここに寝《ね》ているのだっ!?

答《こた》えろ 三木三郎《みきさぶろう》っ!!
ああ お許《ゆる》し ください 兄上《あにうえ》っ
昨夜《ゆうべ》の兄上《あにうえ》が 殊更《ことさら》にお疲《つか》れの ご様子《ようす》だったので
お身体《からだ》でも もんでさし上《あ》げ ようと伺《うかが》った所《ところ》
既《すで》にお寝《やす》みの ご様子《ようす》
お顔色《かおいろ》だけでも 窺《うかが》って戻《もど》ろうと 兄上《あにうえ》の寝顔《ねがお》を 拝見《はいけん》しており ましたら…
何《なに》かふと 幼《おさな》い昔《むかし》に戻《もど》った 様《よう》な気《き》になって
思《おも》わず知《し》らず つい添《そ》い寝《ね》を…
やめんか 気色《きしょく》の 悪《わる》いっ!!

そんな兄上《あにうえ》〜 昔《むかし》は毎夜《まいよ》の様《よう》に枕《まくら》を並《なら》べて寝《ね》てくだすったのに〜〜
それは お前《まえ》が 養子《ようし》に出《で》る前《まえ》までの話《はなし》だろう!!
ただの肉塊《にくかい》と化《か》して出戻《でもど》って来《き》た今《いま》の己《おのれ》とどれ程《ほど》違《ちが》うか考《かんが》えてみろ!!
ほんの15※貫程《かんほど》の違《ちが》いじゃ…
ほ・ん・のと 言《い》ったか ほ・ん・のと!? この脂身《あぶらみ》が!?
いいか 憶《おぼ》えておけ 三木《みき》!!
僕《ぼく》は醜《みにく》いモノは嫌《きら》いだ!
己《おのれ》を律《りっ》せず 酒《さけ》に浸《ひた》って 養父《ようふ》に勘当《かんどう》されてもまだ 己《おのれ》を変《か》えられぬ
お前《まえ》の様《よう》な醜《みにく》い人間《にんげん》に〝兄《あに》〟などとは呼《よ》ばれたくもないものだ!!

※56.25kg

伊東先生《いとうせんせい》! 今《いま》のおっしゃり様《よう》はあんまりです!!
がらっ
なんでまたお前《まえ》が立《た》ち聞《ぎ》きをしているのだ加納《かのう》っ!?
申《もう》し訳《わけ》ありません! 三郎《さぶろう》さんの姿《すがた》が見《み》えなかったのできっとここだろうと
三木《みき》は九番隊《きゅうばんたい》でお前《まえ》は八番隊《はちばんたい》のはずではないか!
はい ですが江戸《えど》の頃《ころ》からの習慣《ならい》で朝《あさ》の挨拶《あいさつ》だけは欠《か》かさず…
何《なに》が楽《たの》しいのだ朝《あさ》っぱらからこんな肉塊《にくかい》の顔《かお》を見《み》て!?
三郎《さぶろう》さんはっ
優《やさ》しいですっ!!

頬《ほお》を染《そ》めるなッ!!
なんなんだ お前《まえ》らは デキているのか おぞましいッ!!
誤解《ごかい》です 兄上《あにうえ》〜〜っ
…甲子太郎《かしたろう》さん…
す。
内海《うつみ》!
それ位《くらい》になさってはいかがです
中庭《なかにわ》まで筒抜《つつぬ》けですよ
む…!
加納《かのう》 早《はや》く三郎《さぶろー》さんを連《つ》れて行《い》け
兄上《あにうえ》…

まったくあなたという人《ひと》は…
三木《みき》の弁護《べんご》なら聞《き》く耳《みみ》は持《も》たんぞ!!
大人気《おとなげ》ないにも程《ほど》がある
土方副長《ひじかたふくちょう》がつれないのは三郎《さぶろう》さんの所為《せい》じゃないでしょうに
関係《かんけい》ないだろうそんな事《こと》はッ!!
誰《だれ》がいつっっっ…っ!!
もっとも
実《じつ》の弟《おとうと》だからこそあそこまで存分《ぞんぶん》に八《や》つ当《あ》たりもできるんでしょうけど
——以前《いぜん》から思《おも》っていたがお前《まえ》は本《ほん》っ当《とう》に可愛《かわい》くないぞ 内海《うつみ》
はいはい
存じてます。
やはり引《ひ》っ越《こ》して良《よ》かった様《よう》ですね

今朝《けさ》は随分《ずいぶん》久々《ひさびさ》に深《ふか》く眠《ねむ》れた顔《かお》をなさってますよ
…!
…なんの事《こと》だ?
さすがのあなたも山南《やまなみ》総長《そうちょう》と同居《どうきょ》していた部屋《へや》にひとりで住《す》まうのは安《やす》らかでなかった様《よう》ですね
——情《なさ》けないな
佐幕《さばく》の新選組《しんせんぐみ》を尊攘《そんじょう》へ導《みちび》く…
その仕事《しごと》が命《いのち》懸《が》けのものである事《こと》は疾《と》うの以前《いぜん》から覚悟《かくご》していたはずだったのに

※徳川幕府《とくがわばくふ》を支《ささ》える思想《しそう》。尊攘《そんじょう》は天皇《てんのう》の復権《ふっけん》を望《のぞ》み外国《がいこく》の排斥《はいせき》を願《ねが》う思想《しそう》。

それなのに僕《ぼく》は
山南《やまなみ》さんの切腹《せっぷく》を目の前《まのあたり》にしただけで
本気《ほんき》で逃《に》げ出《だ》したい気持《きも》ちに駆《か》られたのだ
「この野蛮《やばん》な光景《こうけい》はなんなのだ」
「志《こころざし》も人徳《じんとく》も高《たか》いこの人《ひと》がこんな酷《むご》たらしい死《し》に方《かた》を何故《なにゆえ》せねばならぬのだ」
「僕《ぼく》の求《もと》めて来《き》た武士道《ぶしどう》とはこれを〝見事《みごと》〟と讃美《さんび》するものなのか」
そんな心《こころ》の動揺《どうよう》さえ
お前如《まえごと》きに見破《みやぶ》られる
僕《ぼく》も焼《や》きが回《まわ》ったものだな
では逃《に》げ出《だ》しますか
いっその事《こと》本気《ほんき》で？

ふざけるな 内海《うつみ》!
この僕《ぼく》が報国《ほうこく》の志《こころざし》まで鈍《にぶ》らせたと思《おも》うのか!?
山南《やまなみ》さんの死《し》を無駄《むだ》にする気《き》はない!
隊規《たいき》も含《ふく》め新選組《しんせんぐみ》の改革《かいかく》を何《なに》があっても成《な》し遂《と》げる覚悟《かくご》を一層強《いっそうつよ》くしただけの事《こと》だ!
近藤勇《こんどういさみ》のそれとは違《ちが》う伊東甲子太郎《僕自身》の武士道《ぶしどう》を貫《つらぬ》いてな!

その為《ため》に僕《ぼく》はまず土方君《ひじかたくん》を…と…！
将を射んと欲すれば先ず馬!!
ふふふふっ
…今《いま》さらそれを信《しん》じろとでも？
ぞくっ
？
どうしたトシ
何《なに》やら急《きゅう》に寒気《さむけ》が…
伊東《いとう》が俺《おれ》の噂《うわさ》でもしてやがんだな
↑あたってるからスゴイ。

風邪《かぜ》じゃないのか？
俺《おれ》の卵《たまご》焼《や》きをひとつやろう
滋養になるぞ
ガキじゃねえんだからよ近藤《こんどう》さん
それより例《れい》の人選《じんせん》何《なに》かあるか？
うむ
総司《そうじ》はどうかと思《おも》うのだが
総司《そうじ》!?
ヤツ向《む》きの仕事《しごと》じゃねえだろう これは！
いや やらせてみん事《こと》にはわからんじゃないか
どうも俺達《おれたち》はいつまでも総司《そうじ》を子供扱《こどもあつか》いしすぎる気《き》がしてな
おはようございます近藤先生《こんどうせんせい》
総司《そうじ》です入《はい》ってもよろしいですか

また旨《ウマ》い所《とこ》に顔《ツラ》ぁ出《だ》しやがる
ポリポリ
なんですか土方《ひじかた》さん？
総司《そうじ》お前江戸《えど》へ行《い》って来《き》てくれないか
江戸《えど》!?
ああ
屯所《とんしょ》も広《ひろ》くなっていよいよ隊士《たいし》の増員《ぞういん》が急務《きゅうむ》だ
江戸《むこう》でずっと平助《へいすけ》が周旋《しゅうせん》に奔走《ほんそう》してくれている
お前《まえ》もそれに合流《ごうりゅう》して選《え》りすぐりの50人程《にんほど》を調達《ちょうたつ》して欲《ほ》しいのさ
はあ…
なんか難《むずか》しそうなお仕事《しごと》ですねえ…
あっでもクマちゃんに会《あ》える!?
近藤《こんどう》さん
やっぱよそうぜこいつ

まあいい
じゃないか
総司《そうじ》ひとりで
行《い》かせる訳《わけ》
じゃないんだ
他《ほか》の人員《じんいん》に
堅《かた》い所《ところ》を揃《そろ》えれば
…あんた
始《はじ》めから
総司《そうじ》を姪《めい》っ子《こ》に
会《あ》わせてやる
事《こと》しか考《かんが》えて
ねえだろう！
ははははは
センセ～やさし～♥
ま…
まあしかし
一番隊《いちばんたい》は総司《そうじ》が
留守《るす》しても
神谷《かみや》がよく
まとめて
くれるし…
！
――……

※元服《げんぷく》（成人《せいじん》の儀式《ぎしき》）前《まえ》を意味《いみ》する。個人差《こじんさ》があるが元服《げんぷく》は一般的《いっぱんてき》に15歳前後《さいぜんご》で行《おこな》われ前髪《まえがみ》を剃《そ》ってその証《あかし》とする。

きゃああん
声《こえ》まで可愛《かわい》い〜〜〜〜〜っ♡
声変《こえが》わりもしてへんなんて本当《ほんま》に子供《ガキ》やん
やかましいて!
すごい人気《にんき》だな神谷《かみや》
あはは〜
フクザツ…
若《わか》い女子《おなご》が鈴生《すずな》りだ〜〜〜♡
ま一同《おな》じ男《おとこ》の俺達《おれたち》から見《み》ても神谷《かみや》は可愛《かわい》いしなー♡
興味《きょうみ》ないですよ
私《わたし》にはもうお里《さと》さんがいるし
それ知《し》ったら泣《な》き出《だ》すんじゃねえかあの女子《おなご》ども
つたく罪《つみ》な野郎《やろう》だぜ
チクショウちったあこっちに回《まわ》せ!
あっそんなヤメテ
きゃははは
神谷《かみや》さん!

はっ
はい!!
こちらへ!
他《ほか》の方々《かたがた》は
ここで
立合稽古《たちあいげいこ》を
はい…
うわ～
機嫌
ワルそ～
…なんだろう
沖田先生《おきたせんせい》
いつもと
空気《くうき》が違《ちが》う

なんでだろう この感《かん》じって…
ここは敵陣《てきじん》だと 言《い》ったはずでしょう
敵方《てきがた》の女子《おなご》相手《あいて》に 浮《う》かれていて どうします
浮《う》かれてなど いません!
敵方《てきがた》だからこそ 上手《うま》く取《と》り入《い》っておいた ほうがいいと思《おも》って…
浅見《せんけん》 ですね
…!!
何《なに》
それ
打《う》って来《き》なさい どこからでも

エーーーッ!!!
ムカックーーッ!!
スッ
!
やあっ
スッ
スッ
スッ
やあっ
たーーーっ!!

竹刀《しない》を受《う》けても
くれない
私《わたし》を馬鹿《ばか》に
してるの?
これは真剣《しんけん》です
私《わたし》にその気《き》が
あれば
もう4度《ど》
あなたを
殺《ころ》せてますよ
!!
そういう
事《こと》か
真剣《しんけん》の勝負《しょうぶ》では
刃《やいば》を交《まじ》える事《こと》など
むしろ稀《まれ》

ダ！！
大抵《たいてい》は初太刀《しょだち》でケリがつく
よけられたという事《こと》は斬《き》られた事《こと》に等《ひと》しいのだ
やッ
ガッ
やった受《う》けさせた！
そらすぐ油断《ゆだん》する

ドドッ!
あっ
ーーー…
お…鬼《おに》…っ!!
ハァ
ハァ
ハァ
刀《かたな》を取《と》りなさい
これ位《くらい》で"武士《ぶし》の魂《たましい》"を手放《てばな》してどうします

!!
ムッ
痛《いた》…

うっ…
ゲホッ
ゲホゲホゲホ
――さて どうします
そろそろ 諦《あきら》めて 死《し》にますか
何《なに》が あったの…？
こんなの絶対《ぜったい》 いつもの沖田先生《おきたせんせい》 じゃない
うわあああああ!!

ドン!
くっ!!
動《うご》かない
ビクともしない
この程度《ていど》の腕前《ちから》で
他《ほか》の隊士達《たいしたち》と同等《どうとう》のつもりでいるのだから敵《かな》いませんね
!

もう結構《けっこう》です 実力《じつりょく》の程《ほど》は よくわかりました
そ…んな 言《い》い方《かた》…っ!!
おや 泣《な》きますか
・・・・・まるで女子《おなご》の 様《よう》ですね
——野《の》の草《くさ》は

どんなに背伸《せの》びして葉《は》を広《ひろ》げても
決《けっ》して風《かぜ》に追《お》いつけない――
…わかってる

何《なに》もかも
未熟《みじゅく》な私《わたし》が
悪《わる》いんだ
ちょっと
褒《ほ》められると
すぐいい気《き》になって
失敗《しっぱい》して泣《な》いて
沖田先生《おきたせんせい》に
迷惑《めいわく》かけて
…
…〃頑《がん》〃とした
背中《せなか》だったな…
巡察《じゅんさつ》してる
間《あいだ》もずっと
もう一生《いっしょう》
振《ふ》り向《む》いてくれる
気《き》もない様《よう》な…
わかってるんだ

沖田先生《おきたせんせい》にはきっと
何《なに》か〃考《かんが》え〃があるん
だって事《こと》は
なのに
どうして
不安《ふあん》にならずに
いられないの
——神谷《かみや》…か?
!
三木先生《みきせんせい》…!?

江戸いろはかるた

つ

月《つき》夜《よ》に釜《かま》を抜《ぬ》かれる

――三木先生《みきせんせい》
なっ
どうして
こんな
時刻《じこく》に
あっ
の
――どうしてお前《まえ》が泣《な》くんだ
神谷《かみや》

江戸
いろはかるた
悪霊退散
南無阿弥陀仏
伊東不可侵入
ね
念《ねん》には念《ねん》を入《い》れよ

え？
そんな美《うつく》しい顔《かお》をして華奢《きゃしゃ》な身体《からだ》に似合《にあ》わぬ武功《ぶこう》もあって
頭《あたま》も良《よ》く気《き》がきいて
兄上《あにうえ》にあんなに愛《あい》されて！
この上《うえ》何《なに》を泣《な》く理由《こと》があるんだ!?
み…三木《みき》先生《せんせい》…っ
そんなの誤解《ごかい》ですっ
私《わたし》なんてまだ全然《ぜんぜん》未熟《みじゅく》でちっぽけで…
先生《せんせい》こそ何《なに》をお泣《な》きになるんです!?
九番隊組長《きゅうばんたいくみちょう》で誰《だれ》もが認《みと》める…
ほかの誰《だれ》でもダメだからだッ!!
兄上《あにうえ》でなくちゃ私《わたし》は…!!

それなら私《わたし》だって同《おな》じです!!
ほかの誰《だれ》に褒《ほ》められたって
沖田《おきた》先生《せんせい》が認《みと》めてくれないならそんなもの――
沖田《おきた》?
ってあわわ
お前《まえ》沖田《おきた》さんが好《す》きなのか?
兄上より??
――尊敬《そんけい》…
しています
殴《なぐ》られても蹴《け》られても
それでもこの世《よ》の誰《だれ》より私《わたし》は…
神谷《かみや》…っ

わかるっ!!
わかるよォ その気持《きも》ち〜〜〜っ!!
うおんおん
みっ 三木先生《みきせんせい》 夜中《よなか》なんですから 声《こえ》はひそめてくださいっ
兄弟《きょうだい》ゲンカでもなさったんですか
伊東参謀《いとうさんぼう》と?
それ所《どろ》じゃない
私《わし》の如《ご》き醜《みにく》い脂身《あぶらみ》には兄《あに》と呼《よ》んでも欲《ほ》しくないと
うわキッツ〜
鬼《おに》の様《よう》な形相《ぎょうそう》で…

それでもうらやましいです
私《わたし》にも大好《だいす》きだった兄《あに》が居《お》りましたが2年前《ねんまえ》に逝《い》ってしまいましたので…
か…っ
ぶおっ
なんて不憫《ふびん》なヤツなんだ神谷《かみや》〜〜〜
私《わたし》にはとても耐《た》えられない兄上《あにうえ》が死《し》んでしまうなんて
あっでも今《いま》は沖田先生《おきたせんせい》を始《はじ》め大勢《おおぜい》兄分《あにぶん》ができましたから
お前《まえ》は強《つよ》いな神谷《かみや》
私《わたし》は自分《じぶん》が情《なさ》けない※29にもなってこんな…
ずびむ
余程《よほど》お好《す》きなんですね伊東先生《あにうえ》の事《こと》が

※数《かぞ》え年《どし》。満年齢《まんねんれい》ではまだ27歳《さい》。

※甲子太郎《かしたろう》、三郎兄弟《さぶろうきょうだい》の故郷《こきょう》、志筑藩《しづくはん》。

その頃《ころ》の私《わたし》は
鈴木多聞《すずきたもん》という名《な》で
同《おな》じく大蔵《おおくら》と
呼《よ》ばれていた兄上《あにうえ》とは
本当《ほんとう》に仲睦《なかむつ》まじい
兄弟《きょうだい》だった
誰《だれ》コレ ――ッ!?
あっ 兄上《あにうえ》!
可愛《かわい》い多聞《たもん》
こっちへ おいで
父上《ちちうえ》から 大事《だいじ》なお話《はなし》が あるそうだよ
良《よ》くない お話《はなし》ですか 兄上《あにうえ》は悲《かな》しい お顔《かお》をなさって います
…

…お前《まえ》たち兄弟《きょうだい》は今後《こんご》母《はは》の故郷《さと》でおばあ様《さま》と暮《く》らす事《こと》になった
えっ!?
※郷目付《ごうめつけ》をしていた父・鈴木専右衛門《すずきせんえもん》は
その潔癖《けっぺき》さ故《ゆえ》に同僚《どうりょう》から疎《うと》まれ☆讒言《ざんげん》にあって蟄居閉門《ちっきょへいもん》の処分《しょぶん》を受《う》けた
兄上《あにうえ》が15 私《わたし》が13の時《とき》だった
泣《な》くんじゃないよ 多聞《たもん》
父上《ちちうえ》は断《だん》じて罪《つみ》を犯《おか》してなどいない 私《わたし》たちが胸《むね》を張《は》って生《い》きなければ母上《ははうえ》も悲《かな》しまれるだろう?
兄上《あにうえ》ぇ

※地域《ちいき》の監察役《かんさつやく》。

☆偽《いつわ》りの悪行《あくぎょう》を上司《じょうし》にふきこむ事《こと》。蟄居閉門《ちっきょへいもん》は門扉《もんぴ》を閉《と》ざされ家屋内《かおくない》の一室《いっしつ》にこもって用便以外《ようべんいがい》の出入《でい》りを禁《きん》じられる監禁刑《かんきんけい》。

母《はは》は大層《たいそう》美《うつく》しい女性《ひと》で
その面差《おもざ》しも気丈《きじょう》さも兄上《あにうえ》は生《い》き写《うつ》しだとよく評《ひょう》された
兄上《あにうえ》え 多聞《たもん》は母上《ははうえ》に会《あ》いとうございます〜〜
また眠《ねむ》れないのか
しかたがないな こっちへお入《はい》り
そら 兄《あに》の顔《かお》は母上《ははうえ》によく似《に》ているだろう これで我慢《がまん》しておくれ 甘《あま》えん坊《ぼう》の多聞《たもん》
兄上《あにうえ》兄上《あにうえ》 もっとぎゅってしてください

うわ どうしよう
わかりすぎる その感《かん》じ
「兄上《あにうえ》 兄上《あにうえ》」
「ははは どうした セイ」
とにかくその頃《ころ》の 私《わし》にはもう 兄上《あにうえ》がすべて だったんだ
父《ちち》であり 母《はは》であり 兄《あに》であり 師《し》でもあった
私《わし》はいつも 兄上《あにうえ》の後《あと》を追《お》って 剣術《けんじゅつ》も学問《がくもん》も 必死《ひっし》で学《まな》んだよ
ただ 兄上《あにうえ》に褒《ほ》めて もらいたい一心《いっしん》で
そして兄上《あにうえ》も そんな私《わし》を 心《こころ》から愛《いと》しんで くれていたんだ

それなのに
年《とし》が明《あ》けると間《ま》もなく兄上《あにうえ》は…
もう大丈夫《だいじょうぶ》だね 多聞《たもん》
お前《まえ》も もう立派《りっぱ》な武士《おとこ》だ
兄上《あにうえ》!?
母上《ははうえ》 どうか私《わたし》に水戸《みと》へ遊学《ゆうがく》する事《こと》をお許《ゆる》しください
真《まこと》の正義《せいぎ》が通《とお》らぬのは志筑《しづく》という小藩《しょうはん》に学識《がくしき》が足《た》りないからです
父上《ちちうえ》の汚名《おめい》をすすぐ為《ため》にも私《わたし》は脱藩《だっぱん》してもっと広《ひろ》い世界《せかい》に学《まな》びとうございます
よくぞ申《もう》しました大蔵《おおくら》 久々《ひさびさ》に会《あ》いに来《き》てこんな頼《たの》もしい言葉《ことば》を聞《き》けようとは
蟄居中《ちっきょちゅう》の父上《ちちうえ》もさぞお喜《よろこ》びになる事《こと》でしょう

兄上《あにうえ》 兄上《あにうえ》！
私《わたし》も水戸《みと》へ連《つ》れて行《い》ってください！
馬鹿《ばか》を言《い》うな多聞《たもん》
生《い》きて帰《かえ》れるとは限《かぎ》らぬ旅《たび》だ
お前《まえ》には私《わたし》の分《ぶん》まで父母《ちちはは》に孝行《こうこう》してもらわなければ
兄上《あにうえ》…っ
美《うつく》しいな多聞《たもん》
私《わたし》はどこにいてもこの自慢《じまん》の弟《おとうと》を想《おも》わない日《ひ》はないと誓《ちか》おう

必《かなら》ず戻《もど》るから
どうか息災《そくさい》でいておくれ
〝自慢《じまん》の弟《おとうと》〟
そう言《い》ってもらえた誇《ほこ》らしさを胸《むね》に
はい!!
私《わたし》は兄上《あにうえ》のいない寂《さび》しさに耐《た》えた
やがて監禁《かんきん》を解《と》かれ自由《じゆう》の身《み》になると父《ちち》は小《ちい》さな私塾《しじゅく》を始《はじ》めた
誠実《せいじつ》で情熱《じょうねつ》にあふれた父《ちち》の授業《じゅぎょう》は好評《こうひょう》を得《え》
私《わたし》はその手伝《てつだ》いをしながら必死《ひっし》になって己《おのれ》を磨《みが》いた
そうする事《こと》で少《すこ》しでも兄上《あにうえ》とつながっている自分《じぶん》を感《かん》じたかった

そんな日々《ひび》の中《なか》
父《ちち》が倒《たお》れた
蟄居中《ちっきょちゅう》に身体《からだ》を壊《こわ》し
無理《むり》を続《つづ》けた末《すえ》の病《やまい》だった
父上《ちちうえ》っ
ご無事《ぶじ》ですか!?
大蔵《おおくら》!
兄上《あにうえ》!!
何日《なんにち》も朦朧《もうろう》としていた父《ちち》が
その一瞬《いっしゅん》だけ微笑《ほほえ》んで
果《は》てた

兄上《あにうえ》が18
私《わたし》が16の冬《ふゆ》だった
その後《ご》父《ちち》の塾《じゅく》を継《つ》いだ兄上《あにうえ》は
水戸《みと》遊学《ゆうがく》で培《つちか》った学識《がくしき》と巧《たく》みな教授法《きょうじゅほう》で瞬《また》く間《ま》に評判《ひょうばん》となり
他藩《たはん》からさえ仕官《しかん》や養子《ようし》の話《はなし》がいくつも届《とど》いた
ーえっ
やっ
たっ
私《わたし》はそんな兄上《あにうえ》の助手《じょしゅ》を務《つと》められる事《こと》が誇《ほこ》らしくて幸《しあわ》せでたまらなかった
…美《うつく》しいな 多聞《たもん》

本当《ほんとう》にいい青年《せいねん》になった
兄上《あにうえ》…
一体《いったい》どれ程《ほど》の娘《むすめ》たちがお前《まえ》に懸想《けそう》しているか
多聞《たもん》は気《き》づいているのかな
わっ私如《わたしごと》きは兄上《あにうえ》の足元《あしもと》にも及《およ》びません
それに女子《おなご》など修行《しゅぎょう》の邪魔《じゃま》なだけです
私《わたし》は興味《きょうみ》ありません!
くすくす
いけないなあ多聞《たもん》
そんな堅物《かたぶつ》な事《こと》じゃ
えっ!?
って兄上《あにうえ》はまさか…
ふっふっふ♡
大蔵《おおくら》
あなたに文《ふみ》が届《とど》きましたよ

おっ 女子《おなご》からですかっ!?
うるさい 多聞《たもん》 水戸《みと》の学友《がくゆう》からだ
な――…!?
嘉永《かえい》6年《ねん》（1853年《ねん》）夏《なつ》の終《お》わり
それは ※黒船の襲来を知らせる手紙だった

※開国《かいこく》を求《もと》めて浦賀《うらが》に来航《らいこう》した米使《べいし》ペリーの艦隊《かんたい》。

行《い》かせてください
母上《ははうえ》！
神国日本《しんこくにほん》が
※夷《えびす》に穢《けが》されんとしているのです
弱輩《じゃくはい》なりとも
この鈴木大蔵《すずきおおくら》
江戸《えど》へ集結《しゅうけつ》している
同志《どうし》たちと共《とも》に
日本国《にほんこく》の為《ため》に
働《はたら》きとうございます!!
——あなたは鈴木家《すずきけ》の当主《とうしゅ》です
絶対《ぜったい》に
死《し》んではなりませんよ
——はい！

※外国人《がいこくじん》を蔑《さげす》んで言《い》う称《しょう》。

母上《ははうえ》を頼《たの》んだぞ多聞《たもん》
兄上《あにうえ》！
大丈夫《だいじょうぶ》塾《じゅく》はお前《まえ》ひとりでもやって行《い》ける
自信《じしん》を持《も》つんだ
兄上《あにうえ》 でも鈴木家《すずきけ》は…
まだわからないのか!!
鈴木家《すずきけ》の志筑藩《しづくはん》のと言《い》っている時《とき》ではないのだ!!
日本《にほん》は異国《いこく》と戦争《せんそう》になるのだぞ!!
兄上《あにうえ》の視野《しや》は
とっくに私《わたし》のそれとは違《ちが》っていた
──母上《ははうえ》にはああ言《い》ったが
私《わたし》はもう恐《おそ》らく生《い》きては戻《もど》れないだろう

鈴木家《すずきけ》はお前《まえ》が守《まも》ってくれ
さらばだ私《わたし》の多聞《たもん》
兄上《あにうえ》…！
嫌《いや》です兄上《あにうえ》!!
多聞《たもん》はいつまでも待《ま》っています！
兄上《あにうえ》が元気《げんき》でお戻《もど》りになる日《ひ》をずっと信《しん》じてお待《ま》ちしますから!!

兄上《あにうえ》が
私《わたし》の声《こえ》に
振《ふ》り返《かえ》る事《こと》は
遂《つい》になかった
――そこからの私《わたし》は 転落《てんらく》の一途《いっと》さ
ナぜ――!?
ナぜ こーまで 変わるの――!?
来《きた》るべき 攘夷戦《じょういせん》をにらんで 武道中心《ぶどうちゅうしん》に 切《き》り換《か》えた 塾《じゅく》の方針《ほうしん》が
危機感《ききかん》のない志筑《しづく》の 田舎者《いなかもの》たちに 受《う》け入《い》れられるはずもなく 生徒《せいと》たちは間《ま》もなく霧散《むさん》
ぽつん…
塾《じゅく》は閉《と》じざるを 得《え》なくなった

折《おり》良《よ》く舞《ま》い込《こ》んだ養子話《ようしばなし》に飛《と》びついたのは私《わたし》が鈴木姓《すずきせい》を捨《す》てる事《こと》で兄上《あにうえ》が戻《もど》って来《き》てくれるのではと期待《きたい》しての事《こと》だ
なのに
江戸《えど》で北辰一刀流《ほくしんいっとうりゅう》に出会《であ》い同志《どうし》らと共《とも》にひたすら己《おのれ》を磨《みが》く兄上《あにうえ》の耳《みみ》には雑音程《ざつおんほど》にも響《ひび》かなかった
私《わたし》は一体《いったい》なんなのだ
国事《こくじ》に奔走《ほんそう》する兄上《あにうえ》と比《くら》べ
塾《じゅく》を潰《つぶ》し母上《ははうえ》も家名《かめい》も守《まも》れず
溺愛《できあい》してくれる養父母《ようふぼ》の下《もと》ぬくぬくとするばかりの役立《やくだ》たずの私《わたし》は——!!

自己嫌悪《じこけんお》の苦《くる》しさから逃《に》げたくて
ふと覚《おぼ》えた酒《さけ》に私《わたし》は溺《おぼ》れた
性質《たち》の良《よ》くない友人《ゆうじん》たちも手伝《てつだ》って
毎日毎日《まいにちまいにち》私《わたし》は飲《の》み歩《ある》いた
そうこうする間《ま》にこの体型《たいけい》に…
ぶよ
ぶよ
そ…そーゆーコトだったんですか～
じゃあこの中身って全部お酒…!?
その上《うえ》酩酊《めいてい》した挙句《あげく》のケンカ・不祥事《ふしょうじ》は後《あと》を絶《た》たず
私《わたし》が立《た》ち直《なお》るのを根気《こんき》よく待《ま》ち続《つづ》けていてくれた養父母《ようふぼ》にもついに離縁《りえん》されて
母《はは》の実家《さと》へ逃《に》げ帰《かえ》ったが

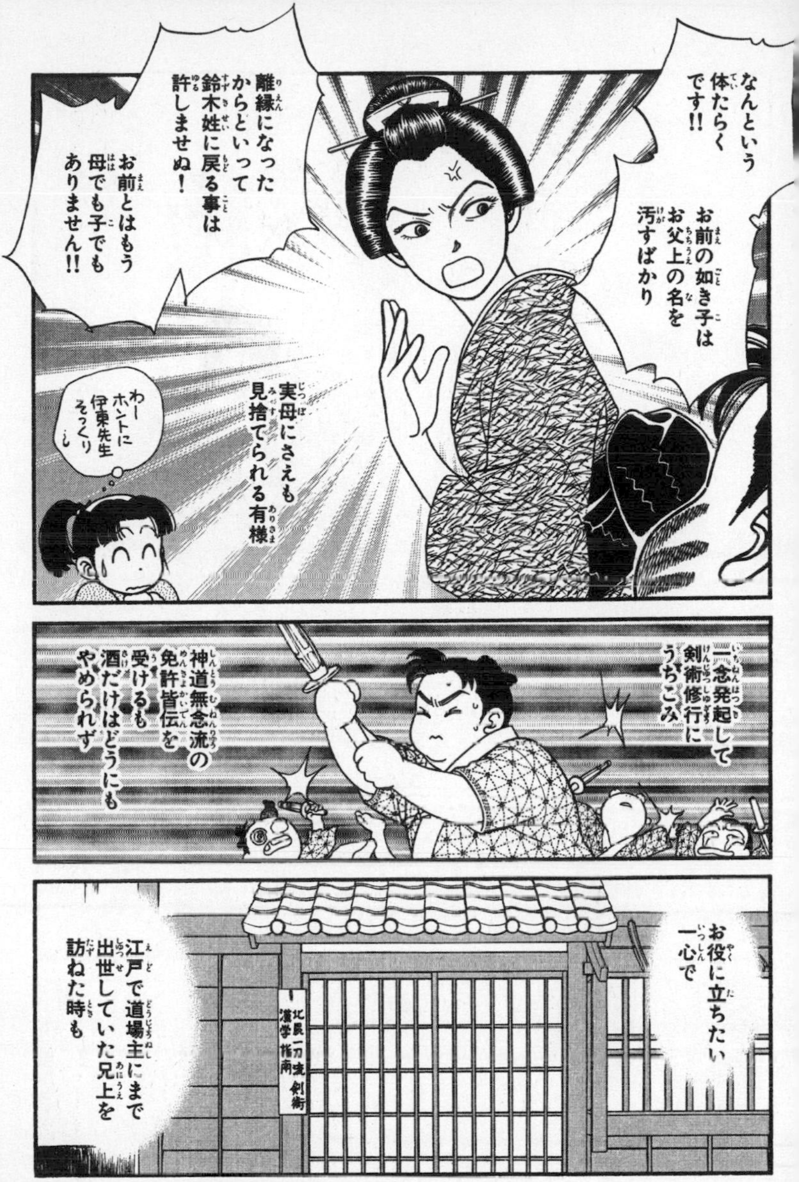
なんという体《てい》たらくです!!
お前《まえ》の如《ごと》き子《こ》はお父上《ちちうえ》の名《な》を汚《けが》すばかり
離縁《りえん》になったからといって鈴木姓《すずきせい》に戻《もど》る事《こと》は許《ゆる》しませぬ！
お前《まえ》とはもう母《はは》でも子《こ》でもありません!!
実母《じつぼ》にさえも見捨《みす》てられる有様《ありさま》
わーホントに伊東先生そっくり
一念発起《いちねんはっき》して剣術修行《けんじゅつしゅぎょう》にうちこみ
神道無念流《しんとうむねんりゅう》の免許皆伝《めんきょかいでん》を受《う》けるも酒《さけ》だけはどうにもやめられず
お役《やく》に立《た》ちたい一心《いっしん》で
北辰一刀流 剣術
漢学指南
江戸《えど》で道場主《どうじょうぬし》にまで出世《しゅっせ》していた兄上《あにうえ》を訪《たず》ねた時《とき》も

兄上《あにうえ》っ お久《ひさ》しゅう ございますっ!!
この体型健在。
…誰《だれ》だ デブ
以来《いらい》〃肉塊《にくかい》〃の 〃脂身《あぶらみ》〃のと 罵《ののし》られ続《つづ》け
やむなく 名《な》のった 三木三郎《みきさぶろう》の 名《な》も
他人行儀《たにんぎょうぎ》に 名字《みょうじ》でしか 呼《よ》んでくだ さらない
私なりに がんばってる のにぃ…
兄上《あにうえ》は今《いま》でも 私《わたし》の事《こと》を 〃一族《いちぞく》の汚点《おてん》〃と 恥《は》じておられるんだ
そんな訳《わけ》 ないじゃ ありませんか

本当《ほんとう》に恥《はじ》だと思《おも》うならどうして京《きょう》にまで同行《どうこう》させますか？
厳《きび》しいお言葉《ことば》は三木先生《みきせんせい》に期待《きたい》していればこそですよ
…あれ？
…そう
なんだろうか…？
絶対《ぜったい》にそうですよ！
だって伊東参謀《いとうさんぼう》がほかの人《ひと》を叱《しか》るのなんか見《み》た事《こと》ないですもん
三木先生《みきせんせい》の事《こと》だけは本当《ほんとう》に特別《とくべつ》に思《おも》ってらっしゃる証拠《しょうこ》です
それに名前《なまえ》の事《こと》だって
厳《きび》しい隊《たい》の中《なか》にあって肉親《にくしん》が傍《そば》にいる心安《こころやす》さが油断《ゆだん》につながってはいけないと
敢《あ》えて他人行儀《たにんぎょうぎ》を装《よそお》っているのかもしれません

いや それは…
「10※貫《かん》痩《や》せるまで"三郎《さぶろう》"とは呼《よ》ばない」とキッパリ…
ず〜ん。
あっ あっ!! じゃいい事《こと》思《おも》いつきました!!
こっそり改名《かいめい》しちゃうんですよ
"三木《みき》ミキ三郎《さぶろう》"って!!
そしたら"ミキ"って呼《よ》ばれるのも愛称《あいしょう》みたいで嬉《うれ》しい気分《きぶん》じゃないですか!!
私《わたし》の兄《あに》もよく私《わたし》を"セイ"と呼《よ》んでたんですよー♡
セイちゃん それは 全然違う。
――……
…って すみません ものすごく くだらない 事《こと》を…
や なんか なんとしても 励ましたく なっちゃって
…いや…

※37.5kg

君《きみ》は優《やさ》しい子《こ》だね 神谷《かみや》
自分《じぶん》だって辛《つら》い事《こと》があったんだろうに
い…いえっ 三木先生《みきせんせい》のお話《はなし》を伺《うかが》っているうちに
私《わたし》のなんかまだまだ甘《あま》いぞーって
頑張《がんば》る気《き》が出《で》てきちゃったので
ありがとうございました! 生意気《なまいき》ですけど一緒《いっしょ》に頑張《がんば》りましょう 三木先生《みきせんせい》!!
すっ 立《た》って
夜はちゃんと寝まなきゃ
「厳《きび》しいのは期待《きたい》があればこそ」

まんま自分《じぶん》に言《い》うべきセリフだぞ清三郎《せいざぶろう》！
厳《きび》しく鍛《きた》えてもらえる事《こと》を
喜《よろこ》べなくてどうする 私《わたし》!!
なんて小《ちい》さな手《て》なんだろう
ドキン
それになんて可愛《かわい》らしいんだ神谷清三郎《かみやせいざぶろう》♡
絶対《ぜったい》くじけませんからね沖田先生《おきたせんせい》!!
——てな訳《わけ》で

何《なに》やらものすごく
ややこしい展開《てんかい》に
なりつつある事《こと》に
実《じつ》は総司《そうじ》に負《ま》けない
野《や》暮《ぼ》天《てん》女王《クイーン》のセイが
気《き》づこうはずはない
この時点《じてん》で
事態《じたい》の不穏《ふおん》さを
察知《さっち》し得《え》た…
うひゃー 早く戻んないと 夜が明けちゃう
否《いな》
はからずも
察《さっ》知《ち》して
しまったのは

これまた
ややこしい立場《たちば》の
この人《ひと》のみで
あった(合掌《がっしょう》)
……
DATA《データ》 FILE《ファイル》
●三番隊組長《さんばんたいくみちょう》 斎藤一《さいとうはじめ》 22歳《さい》
●神谷《かみや》に片恋中《かたこいちゅう》

ドーー
ドーー
ドーー
←起床のタイコ
…あれ?

昨夜《ゆうべ》外《そと》へめそめそしに出《で》たのは知《し》ってたけど
まさか帰《かえ》って来《こ》なかったとか――
ガラッ
おはようございます沖田《おきた》先生《せんせい》!!
ぎょっ
神谷《かみや》はもうヤル気《き》満々《まんまん》です!! 朝《あさ》の一番稽古《いちばんげいこ》お願《ねが》いします!!
ウォームアップ済み!!
…

この娘《こ》はまつたく…
ぷ
まつたくなんて娘《こ》なんでしょう
あつ笑《わら》つた沖田先生《おきたせんせい》!?
おっと
朝餉《あさげ》に手《て》がつかない位《くらい》
みっちりしごいてあげましょうかね
―それでは
はいッ!!

神谷《かみや》…!
ああ
そうか
神谷《かみや》は
沖田《おきた》さんを…
――…

元治《げんじ》2年《ねん》(1865年《ねん》)3月《がつ》
洛中《らくちゅう》 西本願寺《にしほんがんじ》
新選組屯所《しんせんぐみとんしょ》
エーーッ!!
江戸いろはかるた
な
泣《な》きっ面《つら》に蜂《はち》

どかーーん
ああもう
止《や》め止《や》め！
こんな稽古《けいこ》
続《つづ》けたって
意味《いみ》ないですよ
神谷《かみや》さん！
そんな
沖田先生《おきたせんせい》…！
昨日《きのう》あれだけ
打《う》たれていながら
あなたはまだ
闇雲《やみくも》に打《う》ちかかって
来《く》るばかりだ！

立《た》ち直《なお》り早《はや》いんで…
殺《ころ》す為《ため》に打《う》ち打《う》たれれば死《し》ぬそれが新選組《わたしたち》の稽古《けいこ》です!!
てへっ
打《う》たれ強《づよ》さを褒《ほ》められたいならその辺《へん》の町道場《まちどうじょう》にでも通《かよ》ったらどうですか?
むかっ
イヤミッ!!短気《たんき》っ!!教《おし》え下手《べた》っ!!
じゃあどうすればいいのかも言《い》ってくれないでッ!!

いつまで甘《あま》えてるつもりですか
女子《おなご》みたいに!
ぞく…

ずる…
——…
かくん
ハァ
ハァ
ハァ
……
殺《ころ》されるかと
思《おも》った
本気《ほんき》で——
「いつまで
甘《あま》えてる
つもりです」
本気《ほんき》で
言《い》ってた
沖田先生《おきたせんせい》
——大丈夫《だいじょうぶ》か
神谷《かみや》…っ!?

みっ 三木《みき》先生《せんせい》!?
驚《おどろ》いたな
外面《そとヅラ》はいつも穏《おだ》やかなくせになんと酷薄《こくはく》な言《い》い様《よう》だ！
あれが沖田総司《おきたそうじ》の本性《ほんしょう》なのか!?
先生《せんせい》の悪口《わるぐち》は言《い》わないでください
悪《わる》いのは私《わたし》の未熟《みじゅく》ですから
か…っ
なんて健気《けなげ》なんだ神谷《かみや》〜〜〜っ!!
こんないたいけな美少年《びしょうねん》にあんな無体《むたい》のできる鬼《おに》ヒラメの気持《きも》ちが俺《おれ》にはわからーんっ!!
鬼《おに》ヒラメって…
神谷《かみや》!!
私《わたし》に助力《じょりょく》させてくれないか!?

え？
私《わたし》も剣《けん》には少々《しょうしょう》覚《おぼ》えがある！だから2人《ふたり》で特訓《とっくん》をして沖田《おきた》さんを見返《みかえ》してやるんだよ!!
でも…それじゃ また甘《あま》える事《こと》に…
もちろん!!
それは私《わし》にとっては痩《や》せる手助《てだす》けになる訳《わけ》だ!!
言《い》わば一石二鳥《いっせきにちょう》ってやつさ!!
それじゃあ私《わたし》はお返《かえ》しに三木先生《みきせんせい》が痩《や》せる為《ため》の食養生方《しょくようじょうほう》を調《しら》べればいいんですね！
それならお互《たが》い助《たす》け合《あ》う事《こと》になりますし!!
すっごい名案《めいあん》!! 一緒《いっしょ》に頑張《がんば》りましょうね三木先生《みきせんせい》っ!!
うむ神谷《かみや》っ♡

げんなり…
…何故《なぜ》その下心《したごころ》に気《き》づかんかな神谷《かみや》は
それにしても今回《こんかい》の沖田《おきた》さんは少々妙《しょうしょうみょう》だな
厳《きび》しい物言《ものい》いは珍《めずら》しくもないがこれまでとはどこか〃空気《くうき》〃が違《ちが》う
何《なに》かあるのか…？
——総司《そうじ》！

なんだその ボケ面《ヅラ》は!?
ああ 土方《ひじかた》さん… おいしかった ですよね 今朝《けさ》の小魚《こざかな》の 甘露煮《かんろに》…♡
右《みぎ》! メシ粒《つぶ》 ついてるぞ みっともねえ!
近藤《こんどう》さんが 呼《よ》んでる
例《れい》の 隊士募集《たいしぼしゅう》の件《けん》だ
土方《ひじかた》さんも 私《わたし》と一緒《いっしょ》に 江戸《えど》へ!?
考《かんが》えたら一番《いちばん》の 適任者《てきにんしゃ》だと思《おも》わんか?
“副長《ふくちょう》”が出向《でむ》いて来《き》た となれば応募者側《おうぼしゃがわ》の 気勢《きせい》も上《あ》がろうし

それはダメです！新選組《しんせんぐみ》の名《な》も上《あ》がって敵《てき》も増《ふ》えてるこの時期《じき》に
土方《ひじかた》さんまで留守《るす》にしちゃったらいざという時《とき》誰《だれ》が近藤先生《こんどうせんせい》を守《まも》るんです!?
ぶははは。
ほら見《み》ろ近藤《こんどう》さん！
え？
まったくお前達《まえたち》はなんで揃《そろ》いも揃《そろ》って同《おな》じ事《こと》を言《い》うかな～
ほかに新八《しんぱち》だって左之《さの》だって残《のこ》るんだ
何《なに》も心配《しんぱい》はないじゃないか
それは少《すこ》し違《ちが》います
あの人達《ひとたち》の主君《しゅくん》は※大樹公《たいじゅこう》だけど私《わたし》と土方《ひじかた》さんは・・・近藤先生《こんどうせんせい》の・・兵《へい》だもの

※将軍《しょうぐん》の異称《いしょう》。

それは聞《き》き捨《ず》てならんぞ!
俺《おれ》の主君《しゅくん》は大樹公《たいじゅこう》だ!!
それを軽《かろ》んじられるとあっては…
わかってるって
だからさ あんたを守《まも》る事《こと》が大樹公《たいじゅこう》を守《まも》る事《こと》にもなるんだろう
それでいいじゃねえか
…う?
あいにく俺《おれ》は近藤《こんどう》さん程《ほど》素直《すなお》には生《う》まれついてないんでね
一生《いっしょう》顔《かお》も拝《おが》めねえ雲《くも》の上《うえ》の将軍様《しょうぐんさま》より
泣《な》き笑《わら》いの見《み》える場所《ばしょ》にいてこの手《て》で守《まも》れる主君《しゅくん》のほうが
武士《ぶし》としてよっぽど面白《おもしろ》え仕事《しごと》ができると思《おも》ってんのさ

あっ 私《わたし》は土方《ひじかた》さんとは違《ちが》いますよ！
私《わたし》は生来《せいらい》素直《すなお》ですから 先生《せんせい》に初《はじ》めて会《あ》った 9歳《ここのつ》の時《とき》から先生《せんせい》の 一番《いちばん》の家来《けらい》になるのが夢《ゆめ》で…♡
あの クソ生意気《なまいき》な ガキのどこが 素直《すなお》だってんだよ
あれだけ 大人気《おとなげ》なく いじめておいて そんな事《こと》を 言《い》いますか？
大人気《おとなげ》ないとは どーゆー言《い》い草《ぐさ》だッ!?
ああ わかった！ わかったから 2人《ふたり》とも!!
江戸《えど》行《い》きの 人選《じんせん》はもう少《すこ》し 考《かんが》える事《こと》にするよ
あの… 先生《せんせい》 私《わたし》は…
ああ 総司《そうじ》 お前《まえ》はもちろん 決定人員《けっていじんいん》だ
安心《あんしん》して 姪《めい》っ子《こ》への土産《みやげ》でも 選《えら》んでおくといい
——はい… ありがとう ございます

「いつまで甘《あま》えてるつもりですか
女子《おなご》みたいに」
殺気《さっき》を感《かん》じる程《ほど》本気《ほんき》で怒《おこ》らせた
正論《せいろん》すぎてグウの音《ね》も出《で》なかった
じわ…
ダメダメ そうやってすぐ泣《な》くからあんな事《こと》言《い》われるんじゃない!!
メゲずに努力《どりょく》する以外《いがい》私《わたし》にできる事《こと》なんかないんだから
ぐずっ
ぐずっ
ずず
とにかく一日《いちにち》でも早《はや》く一人前《いちにんまえ》の武士《オトコ》にならなければ!!

——三木《みき》先生《せんせい》！
神谷《かみや》♡

よろしくお願《ねが》いします!!
なんて白《しろ》い足《あし》!!
あっああ…
いいよどこからでも打《う》っておいで
はいっ!!
!!

これは…!
悪《わる》くない
と言《い》うより
いい太刀筋《たちすじ》だ
油断《ゆだん》すれば
打《う》たれるぞ
やあっ!!
ガッ
惜《お》しむらくは
エイ!!
ぶん

この身体《がたい》の軽《かる》さか
はっ すまん! つい夢中《むちゅう》になって!
い…え
大丈夫《だいじょぶ》…です
まだやれます!
…ど…道場《どうじょう》が暗《くら》くて良《よ》かつた…!!
もう一本《いっぽん》お願《ねが》いします
モロに見えてたらとても身がもたない…

パン!
!
待《ま》っ 待《ま》て 神谷《かみや》!
そうか 沖田《おきた》さんが 言《い》ってたのは
神谷《かみや》の初太刀《しょだち》が 早《はや》すぎるって事《こと》 かもしれないな
え?
どういう 事《こと》ですか?
つまり君《きみ》は 度胸《どきょう》がいいから いつも「先手必勝《せんてひっしょう》!」 とばかり真《ま》っ向《こう》から 仕掛《しか》けて行《い》くんじゃ ないか?
はい! 男《おとこ》ですから!!
だがいかんせん 君《きみ》は男《おとこ》としては 身体《からだ》も小《ちい》さいし 臂力《ひりょく》もない
剣《けん》を 受《う》けられて 力勝負《ちからしょうぶ》に なれば
いばりっ

必《かなら》ずはじき飛《と》ばされる
違《ちが》うかい？
あ…！
はい！その通《とお》りです!!
だから君《きみ》はむしろ真正面《ましょうめん》から打《う》って出《で》ないで…
すごい三木先生《みきせんせい》…!!
こんなに理論的《りろんてき》な方《かた》だったなんて
伊東参謀《いとうさんぼう》と実《じつ》の兄弟《きょうだい》って本当《ほんとう》だったんですね！
カンドー！
いやあははは…
って疑《うたが》ってたのかい今《いま》までっ!!
そうか！そういう事《こと》か!!

沖田先生《おきたせんせい》は強《つよ》いから
打《う》ち返《かえ》されるのは
当《あ》たり前《まえ》なんだと
どこかで思《おも》ってた
そこで打《う》ち勝《か》つ事《こと》以外《いがい》
逃《に》げになる様《よう》な気《き》もしてた
でも私《わたし》が
私《わたし》の身《み》の丈《たけ》と力《ちから》で
勝とう《生きよう》と本気《ほんき》で
思《おも》うなら
私《わたし》なりの戦《たたか》い方《かた》が
あったはずなんだ
「逆《ぎゃく》に言《い》えば
神谷《かみや》は身《み》が軽《かる》い」
「動《うご》きも速《はや》く
小回《こまわ》りがきく」
「だからまずは
足《あし》を使《つか》って
相手《あいて》の間合《まあ》いを
撹乱《かくらん》し」

「不意《ふい》を衝《つ》く!」
やっ!!
ひょい
わっ
べしゃっ
少《すこ》しは考《かんが》えた様《よう》ですが
足《あし》を掛《か》けられて転《ころ》んでる様《よう》じゃ勝負《しょうぶ》にはなりませんね

チッ
注・ヒロイン
クショ〜〜〜!!
でも ちょっと笑《わら》った先生《せんせい》!!
ふふふふふ ちょびっとでも進歩《しんぽ》したって素直《すなお》に言《い》えばいいのに
負け惜しみ
神谷《かみや》… なんかその笑顔《えがお》やめてくれ…
本日《ほんじつ》の巡察《じゅんさつ》もずーっとその背中《せなか》ですか
そんなロコツに無視《むし》しなくたって甘《あま》えませんよだ
あ!

…
ぺこり
――君《きみ》
西本願寺《お西さん》の門徒《もんと》さんですよね あの女《おんな》の子達《こたち》の中《なか》にいた
こんにちは
あっ あの これっ！
どうか 読《よ》んどくれやす～！
えっ!?
オイオイ なんだァ 神谷《かみや》ァ!?
カタカタカタカタカタ
恋文《こいぶみ》じゃねーのかよ それっ!?
ウッソ ホント…!?

はっ!
巡察中《じゅんさっちゅう》になんの騒《さわ》ぎです!!
もっ 申《もう》し訳《わけ》ありません!
バカ清三郎《せいざぶろう》!
怒《おこ》られて当然《とうぜん》だ!!
これは私《わたし》が処分《しょぶん》しますから!

処分《しょぶん》て…でも私《わたし》まだ読《よ》んでな…
読《よ》む必要《ひつよう》ないでしょう
応《こた》えられる訳《わけ》でもないんだから
それでも
ちゃんと読《よ》んだ上《うえ》で返事《へんじ》をする位《くらい》の誠意《せいい》は…
敵方《てきがた》の女子相手《おなごあいて》に浮《う》かれるなと言《い》ったはずです!
私《わたし》は浮《う》かれてなどいません!!
浮《う》かれているから※町娘《まちむすめ》にこんなふざけた付《つ》け文《ぶみ》などされるんでしょう!
恋文《こいぶみ》がどうして〝ふざけた〟文《ふみ》なんですか!?
女子《おなご》の気持《きも》ちは先生《せんせい》にとってそんなに価値《かち》のないものなんですか!?

※身分制度《みぶんせいど》があった為《ため》、武士《ぶし》と町人《ちょうにん》の婚姻《こんいん》は御法度《ごはっと》。恋愛《れんあい》もスキャンダル扱《あつか》いとなる。

私《わたし》にとって士道《しどう》以上《いじょう》に価値《かち》のあるものなどありません！
それを解《げ》せない女子《おなご》なら
尊重《そんちょう》する理由《りゆう》もないでしょう！
…知《し》ってたよ そういう人《ひと》だって
だから私《わたし》は武士《おとこ》になるんだって
ずっと思《おも》って来《き》たのだけれど――
こんな時《とき》にはどうしようもなく
自分《じぶん》は女子《おなご》なのだと思《おも》い知《し》る
セイのバカッ なんであんな人《ひと》好《す》きになっちゃったんだよ!!
…神谷《かみや》？

みつ
三木《みき》先生《せんせい》——!
泣《な》いてるのか!?
〜〜っ
——…
——相《あい》も変《か》わらず

甘々《あまあま》だな 神谷《かみや》には
なんの 事《こと》です?
少《すこ》しばかり 留守《るす》にするのが それ程心配《ほどしんぱい》か
なんで それ…!!
地獄耳《じごくみみ》な ものでね
夜中《よるじゅう》平気《へいき》で 泣《な》かせておくし
いつになく 突《つ》き放《はな》してると 思《おも》ってはいたが…
ってちょっと 待《ま》ってください!! なんで斎藤《さいとう》さん そんなに詳《くわ》しいんですか!?
言《い》ったろう 地獄耳《じごくみみ》なんだ
実《じつ》は。 北集会所《隊士棟》の 部屋割《へやわ》りは こんなだった!
二番隊
勘定方
一番隊
総司のフトン (何も考えていない)
四番隊
三番隊
斎藤 (もちろん確信犯)
セイ (弱輩なので志願末席)
五番隊

なんにしても！これは神谷《かみや》さんの成長《せいちょう》にとって絶好《ぜっこう》の機会《きかい》なんですから
私《わたし》が厳《きび》しいからといって斎藤《さいとう》さんが甘《あま》やかしたりしないでくださいね！
俺《おれ》より要注意人物《ようちゅういじんぶつ》はほかにいるだろう
言《い》っておくがあの体型《たいけい》の男《おとこ》に自制心《じせいしん》は期待《きたい》できんぞ
え？
あればあんな無駄《むだ》な脂肪《しぼう》を身《み》につけるはずがないからな
――って一体《いったい》なんの話《はなし》です？
…あんた本当《ほんとう》に知《し》らんのか？

三木先生《みきせんせい》は飲《の》んじゃらめ——っっ!!
もっとぶよぶよしちゃうれしょ——っ!!
ひっく
あっ そうだったね 神谷《かみや》
イカン イカン
ゴボウはいい!!
ゴボウは食《た》べなさい!!
「水《みず》を逐《お》い脹《は》れを消《け》す」!!

あ〜と〜
な〜んらっけ〜
か〜な〜？
もっ
もうそれは
いいから神谷《かみや》
一体《いったい》 沖田《おきた》さんと
何《なに》があったん…
も〜
キラ〜〜イ…
沖田《おきた》…んか…
ずっきゅん
据《す》え膳《ぜん》!?
イッ イカン
三木三郎《みきさぶろう》ッ
落《お》ち着《つ》け！
落《お》ち着《つ》くんだ!!
ぐびぐび
ぐびぐび

う————ん
……
酒を飲んでしまった。
僕《ぼく》の可愛《かわい》い神谷《かみや》…♡
これから君《きみ》を天国《てんごく》へ連《つ》れて行《い》ってあげよう♡
酒癖（かっし〜化）
ん〜〜〜〜？
好《す》きだよ神谷《かみや》
さあ沖田《おきた》なんか忘《わす》れて僕《ぼく》のものになると言《い》ってごらん
重《おも》い〜〜〜…
う〜ん
何《なに》この感《かん》じ…？
巨大《きょだい》な羽二重餅《はぶたえもち》が上《うえ》に乗《の》ってる様《よう》な…

やだやだ
やだやだ
どいて!
放《はな》して!
のし
逃《に》がさないよ
僕《ぼく》の清三郎《せいざぶろう》…♡
おもい〜
みっ 三木先生《みきせんせい》
酔《よ》ってるっ!?
正気《しょうき》に
戻《もど》って
ください
っ!!
無駄《むだ》だよ
そんな細《ほそ》い腕《うで》で
僕《ぼく》の力《ちから》に敵《かな》う訳《わけ》が
ないじゃないか
グッ
グッ
グッ
抗《あらが》う姿《すがた》も
可愛《かわい》いよ…♡
逃《に》げられ
ない
全然《ぜんぜん》
敵《かな》わない

御無礼致《ごぶれいいた》します 三木先生《みきせんせい》
じゅわっ
あぢーーァァ!!
熱《あつ》あつッ あーーっ
早《はや》く 神谷《かみや》さん!

こっちへ来《き》なさい!!
沖《おき》…せ…!
ホントにあなたって人《ひと》はなんでこう世話《せわ》がやけるんですッ!!
す…
…みませ…

いい加減《かげん》に自覚《じかく》を持《も》ってくださいよ
あなたは女子《おなご》なんですから!
違《ちが》いますッ私《わたし》は…!
女子《おなご》なんですよ
ホラあなたはこんなに非力《ひりき》で
私《わたし》の手《て》を振《ふ》りほどく事《こと》もできない
どうしてそんな意地悪《いじわる》ばっかり言《い》うんです!?
すぐに女子女子《おなごおなご》って…私《わたし》がどれだけ武士《おとこ》になろうと努力《どりょく》してるか
先生《せんせい》だって知《し》ってるくせに!!
自身《じしん》で気《き》づいて欲《ほ》しいからですよ
そう思《おも》い込《こ》むのにはもう限界《げんかい》が来《き》てるって事《こと》を

え…!?
どんなに稽古《けいこ》を積《つ》んだって女子《おなご》が男《おとこ》になれる訳《わけ》がないんです
あなたがいくらほかの隊士達《たいしたち》と同《おな》じつもりでも
現実《げんじつ》に見《み》ればまったく違《ちが》う
とびぬけて華奢《きゃしゃ》で小《ちい》さくて花《はな》の様《よう》に可愛《かわい》らしい
笑《わら》いかけられれば近《ちか》づきたくなるし
慕《した》い寄《よ》られれば触《ふ》れたくもなる
そういう己《おのれ》を知《し》ろうともせずただ闇雲《やみくも》に打《う》って出《で》る
あなたのすべてはあなたの剣《けん》に通《つう》じています

女子《おなご》の自分《じぶん》を認《みと》めなさい
その上《うえ》でその道《みち》を捨《す》て武士《ぶし》でありたいと願《ねが》うなら
敵《てき》に対《たい》したあなたがまずやるべきは男《おとこ》らしく斬《き》り込《こ》む事《こと》じゃない
戦《たたか》わない為《ため》の努力《どりょく》です
沖田先生《おきたせんせい》…!!
すみません
こんな大事《だいじ》な事《こと》に私《わたし》も今《いま》まで気《き》づかずにいた
「いざとなれば守《まも》ってやれる」正直《しょうじき》そんなつもりでもいました
それは私《わたし》の傲《おご》りです
根拠《こんきょ》のない思《おも》い込《こ》みであなたを甘《あま》やかした私《わたし》が悪《わる》い
そんな事《こと》はありません！
沖田先生《おきたせんせい》はいつも私《わたし》を助《たす》けてくださいます！
たった今《いま》だってこうして…

私《わたし》は隊士《たいし》募集《ぼしゅう》の為《ため》江戸《えど》へ下《くだ》る事《こと》になりました
え…!?
行《い》けばどんなに短《みじか》くてもひと月《つき》は戻《もど》れないでしょう
その間《かん》あなたはひとりきりで
自身《じしん》と秘密《ひみつ》を守《まも》れますか？
一方《いっぽう》その頃《ころ》の三木《みき》三郎《さぶろう》
一体《いったい》何《なに》が起《お》こったんだろう？
酔いと共にすべて忘れる（最低。）

※生理《せいり》のこと

江戸《えど》へ行《い》けば
ひと月《つき》は戻《もど》れません
その間《かん》には
無論《むろん》お馬《うま》※も
来《く》るでしょう
それでなくても
三木《みき》さんや
多《おお》くの女子達《おなごたち》の
関心《かんしん》を集《あつ》めて
しまったあなたが
私《わたし》なしにひと月《つき》を
無事《ぶじ》に過《す》ごせると
思《おも》いますか？

江戸いろはかるた
ら
楽《らく》あれば苦《く》あり
神谷さんデートしませんか？
オチが怖いのでお断わりします！
何度めり込んだコトか!!

――沖田先生《おきたせんせい》の
お供《とも》をさせて頂《いただ》く訳《わけ》には参《まい》りませんか…？
私《わたし》ひとりで行《い》く旅《たび》ではありません 道中《どうちゅう》でお馬《うま》になられたらごまかし様《よう》がないし
それ以前《いぜん》に近藤先生《こんどうせんせい》は神谷《かみや》さんを一番隊《いちばんたい》のまとめ役《やく》として残《のこ》すおつもりです
何故《なにゆえ》 私《わたし》が!? 組長《くみちょう》の代理《だいり》なら伍長《ごちょう》が…！
無論《むろん》公式《おおやけ》にはそうです でも隊務《たいむ》以外《いがい》の部分《ぶぶん》で皆《みな》をまとめる力《ちから》は実際《じっさい》伍長《ごちょう》以上《いじょう》でしょう
屯所《とんしょ》の引《ひ》っ越《こ》しでのあなたの活躍《かつやく》ぶりを近藤先生《こんどうせんせい》はちゃんと評価《ひょうか》してくださっているんですよ
じ～ん…
局長《きょくちょう》が…

なんて喜《よろこ》んでるバアイじゃないんだってば清三郎《せいざぶろう》っ!!
その通《とお》り
ポカッ
ポカ
ポカ
――これが潮時《しおどき》じゃありませんか?
神谷《かみや》さん
え?
私《わたし》の留守《るす》に女子《おなご》だとバレるよりは
私《わたし》のいる内《うち》に局長《きょくちょう》へ告白《こくはく》するほうがマシでしょう
でもそしたら新選組《しんせんぐみ》にいられなくな――!?
そうです
女子《おなご》に戻《もど》るんですよ

17と言《い》えば もういつお嫁《よめ》に 行《い》ってもいい年頃《としごろ》 じゃないですか
その頭《あたま》じゃ すぐにという 訳《わけ》には行《い》かない でしょうが
私《わたし》が近藤先生《こんどうせんせい》に お願《ねが》いして きっといい嫁《とつ》ぎ先《さき》を 見《み》つけてもらいますから
嫌《いや》です!!
そんなの 絶対《ぜったい》に絶対《ぜったい》に 嫌《いや》ですッ!!
私強《わたしつよ》く なりますから!!
先生《せんせい》がお出《で》かけに なるまでに必《かなら》ず 自分《じぶん》を守《まも》れる強《つよ》さを 身《み》につけます!!
だからっ
だから お嫁《よめ》に行《い》けなんて 言《い》わないでください
お願《ねが》いします お願《ねが》いします…っ!!

うわあああん
沖田せんせええ～!!
…可愛《かわい》いんだよなあ
こういうとこが…
えっ「可愛《かわい》い」!?
まるで5歳《いつつ》の子供《こども》みたいなんだもの
だからついつい応援《おうえん》してやりたくなっちゃうんだなあって
無茶《むちゃ》な事《こと》はわかりきってるのに私《わたし》ときたら…
子供好き
ええもう5歳児で結構!
そっそれじゃ!?
期限《きげん》は出発《しゅっぱつ》の前日《ぜんじつ》まで
まだ未定《みてい》ですが恐《おそ》らくもう10日《とおか》もないでしょう
それまでにあなたをひとりにしても大丈夫《だいじょうぶ》だと確信《かくしん》できなければ
私《わたし》は近藤先生《こんどうせんせい》に全《すべ》てを話《はな》しますいいですね?

嫌《いや》ですっ!!
だから話《はな》されずにすむ様《よう》に絶対頑張《ぜったいがんば》ります!!
――三木《みき》が茶屋《ちゃや》で火傷《やけど》を負《お》っただと?
はい今《いま》し方《がた》店《みせ》の者《もの》が三郎《さぶろう》さんからの使《つか》いで来て
今夜《こんや》は痛《いた》みで動《うご》けそうにないから外泊《がいはく》の許《ゆる》しを伊東先生《いとうせんせい》にもらってくれと…
また悪酔《わるよ》いでもしたのだろう!
まったくどれだけ僕《ぼく》に恥《はじ》をかかせれば気《き》がすむのだあのタソデブは!!

申《もう》し訳《わけ》ありません!!
私《わたし》がお供《とも》をしていれば加減《かげん》を心得《こころえ》ておりましたものを…
うむ? そう言《い》えば珍《めずら》しいな
何故《なにゆえ》お前《まえ》も行《い》かなかったのだ加納《かのう》?
いえその…見《み》かけた者《もの》の話《はなし》によりますと…
神谷《かみや》と2人《ふたり》で出《で》かけただと!?
脂身《あぶらみ》の分際《ぶんざい》で僕《ぼく》の清三郎《せいざぶろう》に横恋慕《よこれんぼ》でもしようというのかっ!?
甲子太郎《かしたろう》さん「僕《ぼく》の」っていっ…?
二度《にど》と帰《かえ》るなと伝《つた》えろ加納《かのう》!! 脱走隊士《だっそうたいし》として切腹《せっぷく》させてやる!!
そんな伊東先生《いとうせんせい》〜〜っ
…加納《かのう》

「お前《まえ》が行《い》って火傷《やけど》の様子《ようす》を見《み》て来《こ》い」という事《こと》だ
ついでに「火遊《ひあそ》びが過《す》ぎぬ様《よう》威《おど》しもかけておけ」とさ
はいッ!!
勝手《かって》な意訳《いやく》をするな内海《うつみ》!!
やれやれ美童《びどう》の好《この》みまで同《おな》じとは兄弟《きょうだい》の血《ち》は争《あらそ》えないものですね
兄弟《きょうだい》は関係《かんけい》ないだろう!!
清三郎程《せいざぶろうほど》の美形《びけい》なら誰《だれ》でも心奪《こころうば》われるのが道理《どうり》というものだ!!
私《わたし》は興味《きょうみ》ありませんがね
美形《びけい》なら18の時《とき》のあなたのほうが余程美形《よほどびけい》だったと思《おも》いますし
内海《うつみ》…

つくづく正直《しょうじき》なヤツだなお前《まえ》は…♡
ハイハイ恐《おそ》れ入《い》ります
で江戸《えど》行《こう》の人選《じんせん》は決定《けってい》したんですか？
いや
かわいくなーい。
沖田君《おきたくん》のほかはまだ決《き》めかねているらしい
土方副長《ひじかたふくちょう》を推《お》されたのでは？
僕《ぼく》には寂《さび》しい限《かぎ》りなのだがね・・・日本国《にほんこく》の為《ため》にはそのほうが都合《つごう》がいい
そう思《おも》って進言《しんげん》してはみたのだが流石《さすが》に彼《かれ》は切《き》れ者《もの》だ
近藤局長《こんどうきょくちょう》をひとり残《のこ》せば僕《ぼく》に御《ぎょ》されかねない事《こと》をどうやら警戒《けいかい》しているらしい
…
──甲子太郎《かしたろう》さん！

曲者《くせもの》!!
手応《てごた》えがあった!人《ひと》を…!
待《ま》て内海《うつみ》!
土方君《ひじかたくん》の手《て》の者《もの》かもしれない
急《せ》いて事《こと》を荒立《あらだ》てぬほうがよい!
御意《ぎょい》!

そこなる曲者《くせもの》神妙《しんみょう》に従《したが》えば命《いのち》までは取《と》らぬ
武器《ぶき》を捨《す》てて出《で》て来《こ》い!
アホぬかし!
あては縁《えん》の下《した》の掃除《そうじ》をしてただけや!
早《は》よこの刀《かたな》抜《ぬ》いとくなはれ!!
……
その弁解《いいわけ》が通《とお》ると思《おも》うのか
婆《ばあ》さん…?

疑《うたが》うなら殺《ころ》したらええ！
どうせ老《お》い先《さき》短《みじか》い年寄《としよ》りや！
じたばた
大声《おおごえ》は立《た》てぬがいい！
土方副長《ひじかたふくちょう》の耳《みみ》に入《はい》れば女《おんな》だとて容赦《ようしゃ》はないぞ!!
それが縁《えん》の下《した》のネズミか内海《うつみ》？
ええ見憶《みおぼ》えのあるネズミですよ
矢来《やらい》の向《む》こうからよく屯所《とんしょ》を覗《うかが》ってた婆《ばあ》さんです
放《はな》さんかい誰《だれ》がネズミや！
縁《えん》の下掃除《したそうじ》にはこの格好《かっこう》が一番《いちばん》やし――!!
くすっ
これはこれは
元気《げんき》のいい※お刀自様《とじさま》だ

※年輩《ねんぱい》の女性《じょせい》への敬称《けいしょう》。

…おっ
お？
なんとなく
ビクッ
お前《まえ》さん〜〜〜〜っっ!!
だき〜〜ん!
だから
しーっ
しーって!!
土方君《ひじかたくん》に
知《し》れたら
本当《ほんとう》に首《くび》が
飛《と》びますよ
おばあさん!!
おおお
生《い》きてはったんや〜〜〜っ
信《しん》じられへん
こないに若《わか》い
姿《すがた》のまんまで
〜〜〜〜っ!!
いえ
間違《まちが》いなく
他人《たにん》の空似《そらに》
でしょう

左官《さかん》の留吉《とめきち》と ちゃいまんのか？
壁塗《かべぬ》り職人《しょくにん》に 見《み》えますか 僕《ぼく》が？
どうやら余程《よほど》 あなたの亡《な》くなった ご主人《しゅじん》に似《に》ている 様《よう》ですね
僕《ぼく》は新選組参謀《しんせんぐみさんぼう》 伊東甲子太郎《いとうかしたろう》と 申《もう》します 以後《いご》 お見知《みし》りおきを
社交家◎→
※壬生浪《みぶろ》にも あんたはんの様《よう》な 品《ひん》のええお人《ひと》も いてはんのやな…
〜ええ男や〜♥ ほんまウチの亭主とウリふたつ…
ホントかよ
いささか 悪名《あくみょう》ばかりが 高《たか》いですからね
それが心配《しんぱい》で 屯所《とんしょ》を探《さぐ》って いたのですか

※新選組《しんせんぐみ》の蔑称《べっしょう》。

スンマヘン…
なんやうちの若《わか》い娘達《こら》が
神谷《かみや》とかいう隊士《たいし》に
たぶらかされよるし…
正体《しょうたい》暴《あば》いてやろ思《おも》て来《き》たら
いきなり「曲者《くせもの》!!」て…
はははは
清三郎《せいざぶろう》が目当《めあ》てなら
少々方角《しょうしょうほうがく》を間違《まちが》いましたね
ギ
本願寺《ほんがんじ》の
お※裏方様《うらかたさま》に長年《ながねん》
お仕《つか》えさせて
もろてます
ギン
申《もう》します
あなたは
西本願寺《お西さん》の
門徒《もんと》さんですか?
ああ…
面白《おもしろ》いな
いかにも
〝本願寺《ほんがんじ》〟が
正式名称《せいしきめいしょう》
でしたね
失礼《しつれい》しました
おギン
さん
なるほど
〝西本願寺《にしほんがんじ》〟とは
徳川家《とくがわけ》の後援《こうえん》で
〝東《ひがし》〟が分派《ぶんぱ》した
為《ため》に便宜上《べんぎじょう》
つけられた
俗称《ぞくしょう》に過《す》ぎない
尊皇《そんのう》に堅《かた》い〝西《にし》〟としては
あくまでこちらが〝本派《ほんぱ》〟
正真正銘《しょうしんしょうめい》の真宗総本山《しんしゅうそうほんざん》
〝本願寺《ほんがんじ》〟であるとの
矜持《きょうじ》を持《も》っている訳《わけ》か…
にこ。

※門主《もんしゅ》の妻《つま》

この婆様《ばあさま》
存外《ぞんがい》役《やく》に立《た》つかもしれないな
新選組を尊皇へ導く道具として
うおっしゃ——っ いっちょやったら——っっ!!

「女子《おなご》の自分《じぶん》を
認《みと》めなさい」
「あなたは決《けっ》して
男《おとこ》にはなれない
それを承知《しょうち》で
武士《おとこ》として生《い》きたいなら
戦《たたか》わない為《ため》の
努力《どりょく》をしなさい」
「戦《たたか》わない努力《どりょく》」
「その初《はじ》めはまず
人目《ひとめ》に立《た》たない
事《こと》です」
…あ
…神谷《かみや》!!
「あなたに
関心《かんしん》を抱《いだ》く人《ひと》は」
三木先生《みきせんせい》…

「いつでもあなたの敵《てき》になり得《う》るのだと心得《こころえ》なさい」
昨夜《ゆうべ》はスマン!! 私《わたし》は何《なに》か…
昨夜《ゆうべ》の事《こと》は思《おも》い出《だ》したくありません…!
伊東先生《いとうせんせい》には言《い》いませんから
↑強調
二度《にど》と声《こえ》はかけないでください
ガー
かっ神谷《かみや》〜〜っ!!
三郎《さぶろう》さんっ!! やっぱりまたあのクセを出《だ》したんですねっ!!
ごめんなさい三木先生
——誰《だれ》もいらないもの

沖田先生《おきたせんせい》を失《な》くす事《こと》思《おも》えば
ほかの誰《だれ》を失《な》くしたって構《かま》わない
きゃあ神谷《かみや》はんや！
おはようさんどす神谷《かみや》はん♡
ああすみません昨日文《きのうふみ》をくれた娘《むすめ》さん！
えっ文《ふみ》!?
誰《だれ》!?
抜《ぬ》け駆《が》け!?
誤解《ごかい》させちゃってると申《もう》し訳《わけ》ないので
こう見《み》えても私《わたし》囲《かこ》ってる愛人《ひと》がいるんですよー♡
さわやかに最低の男像。
島原《しまばら》から身請《う》けした極上《ごくじょう》の妓《おんな》なのでほかの女《ひと》はまるで目《め》に入《はい》らないんですすいませーん♡
でも結構ホント(笑)

がーん
それじゃ！
ウソ〜〜〜〜〜!!
神谷《かみや》はんて
あないな男《おとこ》
やったん〜〜!?
「敵《てき》に対《たい》したら
先《さき》に抜《ぬ》かない事《こと》
先《さき》に仕掛《しか》けない事《こと》」
「それがあなたには
最大《さいだい》の武器《ぶき》になる」
「そしてその
身軽《みがる》さと速《はや》さで」
「誰《だれ》の真似《まね》でもない
女子《あなた》一流《いちりゅう》の剣法《けんぽう》を
見《み》つけなさい」

「武士《おとこ》・神谷清三郎《かみやせいざぶろう》が
生《い》きるには
その道《みち》を拓《ひら》くしか
ありません」
女子《わたし》一流《いちりゅう》の剣《けん》――
…
そんなもの
闇雲《やみくも》に刀《かたな》を
振《ふ》ったって
見出《みいだ》せる
訳《わけ》もないけど…
ビュッ
ビュッ
痛《つ》…!
どうしたら
いいんだろう
うひゃ～
豆だらけ
ハー…
ハー…
ハー…
もう日《ひ》も
ないというのに

斎藤《さいとう》さん 昨日《きのう》は ありがとう ございました
ほう 本当《ほんとう》にあの 茶屋《みせ》にいたのか
三木《みき》さんの馴染《なじ》みの 茶屋《みせ》なんて
本当《ほんとう》になんでも 知《し》ってるんですね 斎藤《さいとう》さんは
偶然《たまたま》だ
以前《いぜん》に そこで 見《み》かけた 事《こと》がある
三木《みき》さんも酒癖《さけぐせ》が 良《よ》くない様《よう》だな
知《し》ってたんなら 最初《さいしょ》から 止《と》めてくれれば よかったのに〜!!
俺《おれ》は男《ヤロー》を 甘《あま》やかす 趣味《しゅみ》はない

神谷《かみや》が懲《こ》りないのは あんたの所為《せい》だぞ
どーせまた カッコよく 助けたん だろーよ
一度《いちど》ヤられて みればいいんだ 死《し》ぬ訳《わけ》でもあるまいし 本気《ほんき》で痛《いた》い目《め》に遭《あ》えば 次《つぎ》は自分《じぶん》で考《かんが》える 様《よう》になる
ヤ…って
あっ…あっ そっか
男《おとこ》ですもんね ははは
確《たし》かに そういう ものかも しれません
カマトトぶって 赤面してんじゃ ねーよ
あんたの留守《るす》は いい機会《きかい》だな
ひと月《つき》の間《あいだ》に 俺《おれ》が神谷《かみや》を 鍛《きた》えておいて やろうか？
挑戦的

えっ
——……！
ふん
流石《さすが》の野暮天《やぼてん》も少《すこ》しは動揺《どうよう》した様《よう》だな
満足
安心《あんしん》しろ冗談《じょうだん》…
…斎藤《さいとう》さん！
よろしくお願《ねが》いします!!
…

あの男《おとこ》は
野暮天《やぼてん》を越《こ》えている。
斎藤一 心の声。
ってかバカだろうただの☆
どうして気《き》づかなかったろう!?
私《わたし》が留守《るす》となれば隣室《りんしつ》＝三番隊組長《さんばんたいくみちょう》の斎藤《さいとう》さんが一番隊《いちばんたい》の総指揮《そうしき》も兼任《けんにん》するのが自然《しぜん》の流《なが》れだ
その斎藤《さいとう》さんは神谷《かみや》さんの亡《な》き兄上《あにうえ》の親友《しんゆう》で
神谷《かみや》さんも実《じつ》の兄《あに》の如《ごと》く斎藤《さいとう》さんを慕《した》っている

神谷《かみや》さんの
事情《じじょう》を明《あ》かせば
斎藤《さいとう》さんを
味方《みかた》にできるの
では…!?
神谷《かみや》さーん
神谷《かみや》さんてば
どこ行っちゃったんだろう
せっかく名案が浮かんだのにー

神《かみ》……！

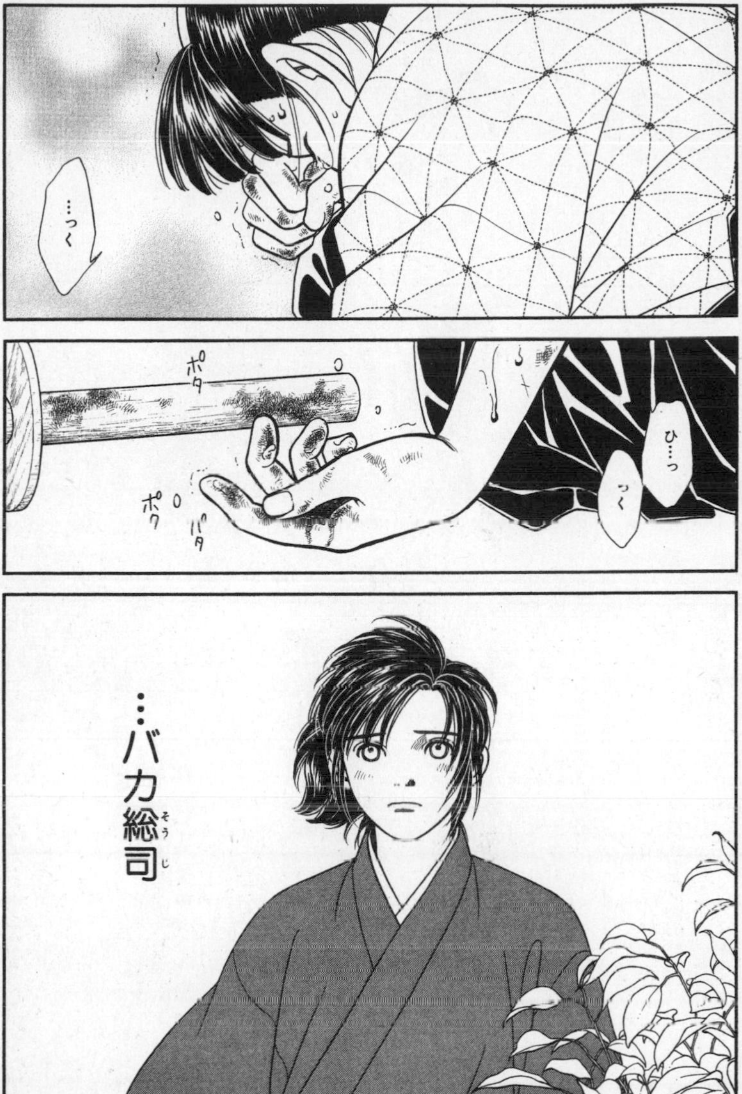
…つく
ひ…っ
っく
ポタ
パタ
ポタ
…バカ総司《そうじ》

とっくにこの娘《こ》は
本気《ほんき》なのだ
くやし…
本気《ほんき》で強《つよ》く
なろうと
しているのだ
そこに
新《あら》しい助《たす》け船《ぶね》を
見《み》つけてやって
一体《いったい》なんの
意味《いみ》がある?
江戸《えど》行《こう》までに
強《つよ》くなれなければ
神谷《かみや》清三郎《せいざぶろう》は死《し》に
富永《とみなが》セイに戻《もど》る
その命運《めいうん》を決《き》める
真剣勝負《しんけんしょうぶ》は
この娘《こ》がひとりで
戦《たたか》わねば意味《いみ》がないのだ

つくづく
甘《あま》いのは 私《わたし》のほうだな…
頑張《がんば》れ おセイ・ち・ゃ・ん・
――で 東下《とうか》の件《けん》だが
六番隊組長《ろくばんたいくみちょう》の 井上源三郎《いのうえげんさん》と
九番隊組長《きゅうばんたいくみちょう》の 三木三郎君《みきさぶろうくん》
それに総司《そうじ》の 3人《にん》で行《い》って もらう事《こと》に 決《き》めたよ
えっ 三木《みき》さん ですか？
うむ 何《なに》やら 伊東《いとう》さんから 強力《きょうりょく》な推《お》しが 入《はい》ってね
勉強《べんきょう》にも なるから 是非《ぜひ》に行《い》かせて やってくれと

傍《そば》におくのがいよいようっとーしくなったんだな…
伊東先生…
出発《しゅっぱつ》は3日後《みっかご》の予定《よてい》だ
いつでも出《で》られる様《よう》に旅支度《たびじたく》調《ととの》えとけよ 総司《そうじ》
3日後《みっかご》…
じゃあ神谷《かみや》さんの勝負《しょうぶ》は2日後《ふつかご》まで——!
…全然《ぜんぜん》ダメかも…
ぷる
ぷる
ぷる
…

どんなに身軽《みがる》く
動《うご》く稽古《けいこ》をしても
剣《けん》を抜《ぬ》いた瞬間《しゅんかん》
動《うご》きの鈍《にぶ》くなるのが
自分《じぶん》でもわかる
ほかの人《ひと》のに比《くら》べたらてんで軽《かる》い造《つく》りなのに
こんな大刀《だいとう》さえ使《つか》いこなせないなんて…
手《て》の豆《まめ》ボロボロでもう刀《かたな》を持《も》つのもツライ
あっ
ポロ
と
「大刀《だいとう》を損《そん》じれば」
「小刀《しょうとう》を抜《ぬ》きなさい！」
沖田先生の口グセ！

ああ〜 脇差《わきざし》軽《かる》い〜♡
これ位《くらい》なら ずーっと身軽《みがる》に 動《うご》けるのに…
ぴょん ぴょん
ぴょん ぴょん
——あ…!!
そうだ
…でも そんなの アリ?
アリだよ!
女子《わたし》一流《いちりゅう》の 剣法《けんぽう》だもの
試《ため》してみる 価値《かち》はある!!
確《たし》か行李《こうり》の 中《なか》にとって おいたはず…
!?

あれは伊東先生《いとうせんせい》と…
確《たし》か　お西《にし》の門徒衆《もんとしゅう》に"婆様《ばばさま》"って呼《よ》ばれてる…
あの裏門《うらもん》はお西側《にしがわ》からしか開《あ》かないのに開《ひら》かれる事《こと》もあるんだなあ…
だから使ってない。
しっ！
さっ　斎藤《さいとう》先生《せんせい》!?
──動《うご》きだしたか
伊東《いとう》甲子太郎《かしたろう》

作画協力

大野淳子
杉山昌子
筒井博子
川口由加
高橋志保

TAEKO WATANABE PRESENTS

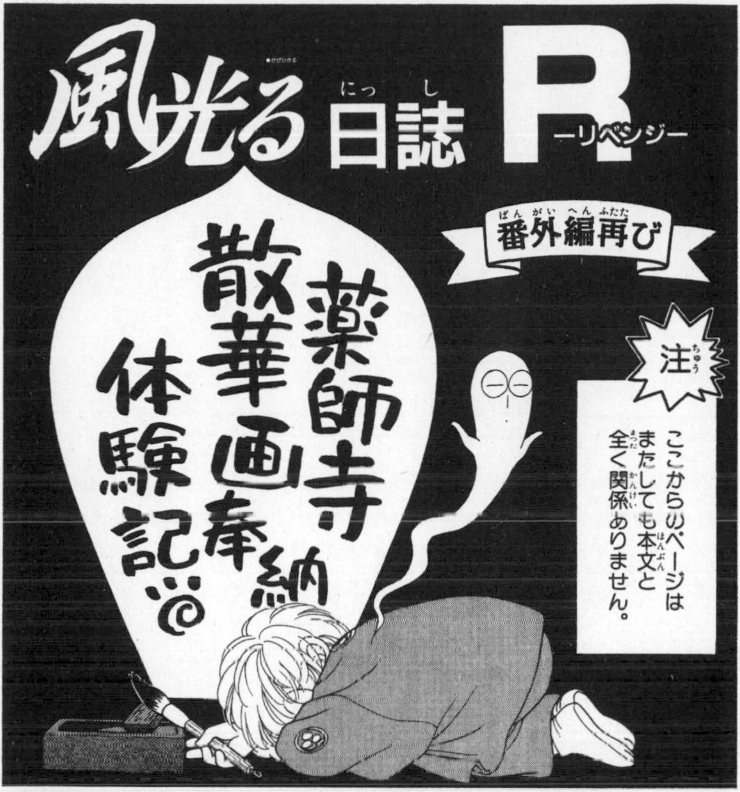

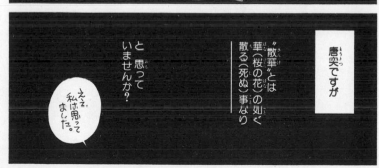

が
実《じつ》はコレ字面《じづら》から
誤《あやま》って定着《ていちゃく》した解釈《かいしゃく》で
本来《ほんらい》は仏教《ぶっきょう》で
生花《せいか》もしくは蓮《はす》の花弁《かべん》を
模《も》した紙片《しへん》をまく
法要《ほうよう》の事《こと》なのだそうです
またこの紙片《しへん》自体《じたい》の
事《こと》も散華《さんげ》と呼《よ》びます
しおり位《くらい》の
大《おお》きさで
キレイな絵《え》が木版《もくはん》で
刷《す》られています
この散華《さんげ》にする
元絵《もとえ》を薬師寺《やくしじ》に
奉納《ほうのう》しないかと
はあ?
デビュー当時《とうじ》
お世話《せわ》になった
A《エー》氏《し》から打診《だしん》が
あったのは
'02年《ねん》2月《がつ》
●元編集者
何故《なにゆえ》
私《わたし》が?
俺《おれ》はあなたが
いいと思《おも》うんだよ
あなたより
若《わか》い作家《さっか》は
もうよく知《し》ら
ないしさ
そんな
いい加減《かげん》な!!
それに私《わたし》
無信心《むしんじん》
だし!
そんなの
構《かま》わないよ
とにかく
話《はな》だけでも
聞《き》いてやって
知《し》り合《あ》いのお坊《ぼう》さんが
そっちへ行《い》くから
かくして奈良《なら》の薬師寺《やくしじ》
からはるばるお坊様《ぼうさま》が
説明《せつめい》にみえたのでした

心《こころ》から信《しん》ずるものを何《なに》ひとつ持《も》てず迷《まよ》い苦《くる》しむ現代《げんだい》の子供達《こどもたち》に
代理
今《いま》こそ仏心《ぶっしん》の種《たね》まきがしたいのです
その為《ため》にはどうすればいいかと考《かんが》え
若年層《じゃくねんそう》に今《いま》 最《もっと》も影響力《えいきょうりょく》のあるメディアとして 漫画《まんが》の力《ちから》をお借《か》りできないかと思《おも》い至《いた》りました
とにかくまず興味をもってもらいたい。
お寺《てら》といえば「お年寄《としよ》りに安《やす》らかな死《し》に方《かた》を教《おし》える所《ところ》」位《くらい》にイメージしていた私《わたし》にこの発想《はっそう》は目《め》からウロコ
ポロポロ
ああそうか安《やす》らかに死《し》ぬってコトは結局《けっきょく》幸福《こうふく》に生《い》きるってコトだもんね
信仰はないが哲学としての日本仏教はスキ
確《たし》かに先《さき》の長《なが》い子供達《こどもたち》にこそ広《ひろ》めるべきものかも
私《わたし》ごときでお役《やく》に立《た》てるなら立《た》ちたい気持《きも》ちは山々《やまやま》なんですが
一番《いちばん》の問題《もんだい》は〆切《しめき》りでして
どんなモノをいつまでにと…？
コレ型紙です。
この夏《なつ》から全国《ぜんこく》を回《まわ》る〝薬師寺展《やくしじてん》〟に間《ま》に合《あ》わせて頂《いただ》ければ一番有難《いちばんありがた》いですが
それがご無理《むり》ならいつになっても構《かま》いません

できればアピールの強《つよ》い作中《さくちゅう》のキャラクター絵《え》を
ほかにご協力《きょうりょく》くださる先生方《せんせいがた》はやなせたかし先生《せんせい》ちばてつや先生藤子不二雄《ふじこふじお》Ⓐ先生《エーせんせい》…(以下全《いかすべ》て超大家《ちょうたいか》)です
ご奉納頂《ほうのういただ》いた散華画《さんげえ》は薬師寺《やくしじ》の寺宝《じほう》として永久保存《えいきゅうほぞん》させて頂《いただ》きます
寺宝!?
永久保存!?
なんなんだ そのメンバーは!?
画材《がざい》は何《なに》をお使《つか》いくださっても結構《けっこう》ですが
この和紙《わし》ですと千年保《せんねんも》ちますので…
千年っ!?
ちちちちょっと待《ま》ってくださいやっぱり私《わたし》できません!!
そんな大家《たいか》の先生方《せんせいがた》にまじってこんな知名度《ちめいど》もキャリアも全《まった》く乏《とぼ》しい弱輩者《じゃくはいもの》が
ってか全然売れてないし!!
私《わたし》はたまたまA《エー》さんと知り合《しあ》いだったというだけで…
どうぞ。
小心者

そういうものを
仏教《私ども》では"ご縁《えん》"と呼《よ》びます
……!
人智《じんち》を越《こ》えた神仏《しんぶつ》のお計《はか》らいです
不相応《ふそうおう》な方《かた》にご縁のあるはずがありません
少《すこ》しの迷《まよ》いもないお坊様《ぼうさま》のその言葉《ことば》は
"心《こころ》から信《しん》じるもの"を持《も》っていた彼《か》の人々《ひとびと》を彷彿《ほうふつ》させ
気《き》がつけば私《わたし》は殺人的《さつじんてき》スケジュールをも顧《かえり》みず A《エー》3サイズ3枚《まい》ものカラー原画《げんが》制作《せいさく》を引《ひ》き受《う》けてしまっていたのでした

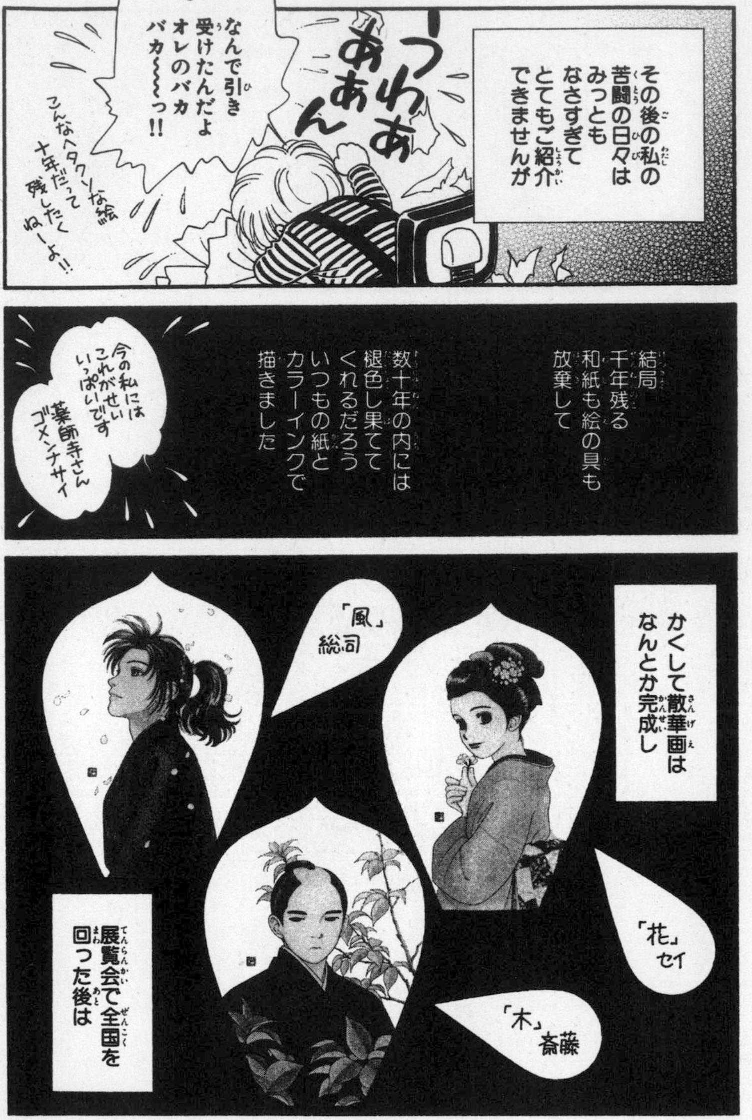
その後《ご》の私《わたし》の
苦闘《くとう》の日々《ひび》は
みっとも
なさすぎて
とてもご紹介《しょうかい》
できませんが
うわあああん
なんで引《ひ》き
受《う》けたんだよ
オレのバカ
バカ〜〜〜っ!!
こんなヘタクソな絵
十年だって
残したく
ねーよ!!
結局
千年残る
和紙も絵の具も
放棄して
数十年の内には
褪色し果てて
くれるだろう
いつもの紙と
カラーインクで
描きました
今の私には
これがせいいっぱいです
薬師寺さん
ゴメンナサイ
かくして散華画《さんげえ》は
なんとか完成《かんせい》し
「風」総司
「花」セイ
「木」斎藤
展覧会《てんらんかい》で全国《ぜんこく》を
回《まわ》った後《あと》は

〈風光《かぜひか》る日誌《にっし》R 番外編《ばんがいへん》再《ふた》び〉＊おわり＊

小学館